長谷川眞理子
Hasegawa Mariko

自然人類学者の目で見ると

青土社

自然人類学者の目で見ると　目次

第三章　国際社会と日本の政治　この混沌とした時代に　97

第四章　学術と大学の自由について　学術会議任命問題の根の深さ　137

自然人類学者の目で見ると

まえがき

現代の社会は目まぐるしく変わる。新しい技術が発明され、それまではできなかったことができるようになり、それまでとは違う生活になる。経済のあり方も変わり、世界情勢も変わる。私たちは、日々、こんな日常の変化に対応しながら暮らしている。こうして暮らしていると、世の中に広まるようになったことは、やがて「当たり前」になる。そこで出てくる新しい問題には、つねになんとか対処していかねば生きていけない。

こうして、私たちはずいぶん遠くまで来てしまった。それは、ヒトという動物の存在の仕方という意味においてである。

文明がどんなに進んでも、情報技術がどんなに発展しても、私たちが動物であることに変わりはない。動物としての私たちヒトは、食物を食べて代謝し、互いに社会的な関係を持ち、子どもを育てている。こんな私たちヒトという動物が進化した舞台は、今の状況とは大きく異なっていた。私たちは、自分たちの欲求にそって世界を便利にさせ、多くの希望をかなえてきた。それが、文明の発展と言われるものである。しかし、それによって私たちの暮らし方は、動物としては非常に特殊なものになってしまった。こんな暮らし方、こんな社会が、つねにヒトの存在様式であったわけではない。文明の発展は、必ずやヒトを幸せにしてきたかと言えば、そうとも言えない。ある一つの側面で便利になり、ある一つの希望がかなえられたとしても、そこには、意図していなかった負の側面もあるからだ。

社会は変わる。技術も変わる。ヒトの暮らしも変わる。変わっていくのが常だとしても、何か、ヒトにとって基準となるような参照点はないのだろうか？　私はあると思う。それは、ヒトという動物が進化してきた舞台の暮らし方だ。私たちの骨格、筋肉、内臓などの構造と働き、そして脳の構造と働きは、今の文明社会に合うように作られているのではない。ヒトという動物の進化の過程で出会ったさまざまな問題に対処し、適応するように進化した。それら過去の適応問題は、今の私たちが直面している問題とはかなり異なる。自然人類学という学問は、それらのことを明らかにしようとしている。

私たちは大きな脳を持ち、多くの問題を解決し、自分たちの希望をかなえる技術を発達させてきた。その結果、社会が変わり、生活が変わってきて、以前にはなかったさまざまな問題も抱えるようになった。では、なぜそんなことになったのか？　それを、ヒトの進化の舞台からの「ずれ」という観点から考えてみたい。

たとえば、なぜ肥満やメタボが問題になるのだろう？　それは、私たちヒトが進化してきた舞台では、何百万年にもわたって、砂糖も塩も脂肪も、有り余るほどふんだんに採れたことはなかったからだ。ごく最近になって、大量の砂糖や脂肪が手に入るようになったのだが、それはあまりに最近の出来事なので、それらの食べ過ぎに対処する方法を、このからだは備えていないのである。そんな事態に進化的に対処してからだを変えるほどの時間は経っていない。では、そうだとわかったとして、どうしたらよいのか？

自然人類学が明らかにすることは、私たちが本来どのような暮らしをしてきて、どんなことに敏感になり、どんなことに快を感じるのか、という事実である。それを知ったからといって、もう昔の環境に戻ることはできないし、この文明そのものを否定するものでもない。

私たちが本来どんな環境で暮らしていたのかを知ることにより、今の社会の現状が、そこからどれほど「ずれて」いるのかがわかるだろう。そして、その「ずれ」を直すには、何をしたらよいのかのヒントが得られるはずだ。「ずれ」を直すのが簡単な問題も、「ずれ」を直すのは相当に難しいだろう問題も、わかるに違いない。いずれにせよ、ヒトは、いろいろなことを考えて現状を変えてきたのだ。そんな力があるのだから、その力をなるべく有効に使って、より多くの人々が幸せになれる社会を目指せればと思うのである。

第一章　現代におけるヒトのすがた

自然人類学の視点から

それでは、ヒトという存在について、生物の進化の観点から考えていきたい。今の私たちのあり方を、そんな何百万年にもわたる時間の中で考えることは、普通はないだろう。経済界は四半期決算で動いているのだし、普通「最近」と言えば、せいぜい数週間のことを指すのが常識だ。しかし、私たちホモ・サピエンスが進化したのは、今からたった三〇万年から二〇万年前のことだ。これは進化的に見れば、ごく「最近」のことなのである。

この進化の視点で見ると、どんなことが見えてくるか、いくつかの話題を取り上げるとともに、この章では、そもそも進化とはどんなプロセスなのかも解説したい。それと言うのも、生物の進化について、世の中には誤解、間違いが蔓延《まんえん》しているからである。

進化生物学も、自然人類学も、その内容を正確に教えてもらえる場所、機会は、日本では意外に少ない。しかし、この両方の分野は、生き物としての私たちの現在を考える上で、とても重要な視点を提供してくれるのである。

平均寿命が男女で異なるということ

三月八日は国際女性デーである。一九〇四年三月八日、ニューヨークで参政権を求めて女性労働者たちがデモ行進した日だ。一九七五年に国連がこの日を国際女性デーとして定め、女性の平等な社会参加の実現を、国連事務総長が加盟国に呼びかける日となっている。

一九〇四年の三月から一〇〇年以上がたち、女性をめぐる状況は徐々に改善されてきた。それを喜ぶとともに、さらなる努力を続けよう。

さて、今回は、女性の寿命と健康について考えてみたい。二〇一八年の日本人の平均余命は、男性八一・二五年、女性八七・三二年であった。これは、各年齢における死亡率などの状況が今と変わらないと仮定したとき、二〇一八年に生まれた赤ちゃんが、今後何年生きるかの期待値をあらわしている。

二〇一八年に生まれた人たちの中には、幼いころに亡くなる人も、働き盛りで亡くなる人もいるだろうが、逆に、一〇〇歳以上生きる人もいるだろう。それらの人々全員の生きた年数の平均が期待余命である。俗に平均寿命と呼ばれる。

ご存じのように、平均寿命はつねに女性の方が男性よりも長い。女性差別その他の深刻な状況はあるものの、寿命は女性の方が長い。もう三〇年ほど前になるが「女性たちがそんなに平等、平等と叫ぶなら、寿命も平等にしてくれ」と言った著名人がいた。発言の奥には、男性は外で一生懸命働いて苦労しているから寿命が短いのだ、女性は家でのうのうと暮らしているのに、という一種のひがみのようなものが感じられた。

でも、男性の寿命が短いのは、ヒトだけではない。多くの哺乳類でもそうなのだ。ここには、生物学的なものと社会状況とが複雑にからみあっている。

ある社会の乳幼児死亡率が高いと、平均寿命は短くなる。途上国の数字が低いのは、おもにそのせいだ。多くの乳幼児が成人できないから、平均寿命の数値が短くなるので、そこを生き延びた人たちは、結構長生きするのである。

つまり、平均寿命の長短には、生まれて以後の、各年齢における死亡率が鍵となる。日本の死亡率の統計を見ると、どの年齢においても、男性の方が女性よりも死亡率が高い。その結果、平均寿命は女性の方が長くなる。

のどに物を詰めて窒息する死亡率は、〇歳の赤ちゃんでも六五歳以上でも、男性の方が高い。このことは、サラリーマン男性の働き方とは何の関係もない。

しかも、現代の日本に限ったことではなく、ほとんどの国でそうだし、昔からそうである。例えば、スウェーデンには、一八〇〇年ごろからの男女の死亡率と期待余命のデータが整っている。それによると、一八〇〇年から現在まで、どの年齢においても男性の死亡率の方が高く、女性の期待余命の方が長いのである。

野生動物の寿命を測定するのは非常に困難なことだ。それでも、シカ、アザラシ、サル、チンパンジーなど、正確なデータが蓄積されている哺乳類ではみな、各年齢での雌の死亡率の方が低い。哺乳類は、雌が妊娠・出産し、授乳して子を育てるので、母親が死ぬと、現在の子も将来の子もすべての可能性がなくなる。だから、雌は死ににくくできているのだろう。一方、雄と雌が一緒に子育てする鳥類では、雌雄の死亡率の差があまりない。だから、子育てへの寄与が関係している、というような進化的説明はつけられるが、死亡率性差が生じる原因は何なのだろう？

男性ホルモンが免疫作用を抑制する、雄にはX染色体が一本しかない、などなど、男性の方が死にやすくなる原因の候補はあげられているが、今のところ決定打はない。おそらく、要因は一つではないだろう。

というわけで、ヒトに限らず哺乳類では、雌の死亡率の方が低く、平均寿命が長くなるようだ。

ところが、である。現在の世界中の医療データを見てみると、今現在生きている人々の間では、客観的にも主観的にも男性の方が健康らしい。女性の方が、不調を抱えている人の割合が高く、医者にかかる頻度も高いのだ。女性の方がからだの不調に関する感度が高いのか、これまた、その原因は不明なのである。

生物学的背景と社会文化的影響を分けるのは困難だ。が、丁寧な研究により、男女がともに快適に暮らせる社会を作っていきたい。

進化をめぐる間違った理解

二〇一六年にノーベル文学賞を受賞したボブ・ディランさんの名曲の一つに「風に吹かれて」がある。「いったいいくつの大砲の弾が飛べば、大砲が禁止されるのだろう？」「いったいいくつの耳を持てば、人々の泣き声が聞こえるようになるのだろう？」などなど、世の悲惨がいっこうになくならないことに対する嘆きの歌である。

私も同じ気持ちになることがしばしばある。核兵器廃絶や飢餓の問題もそうだが、今回は、ダーウィンの進化理論に関するものだ。

自民党の公式ホームページに、改憲を促す漫画が掲載されている。「ダーウィンの進化論ではこういわれておる」から始まり、「最も強い者が生き残るのではなく、最も賢い者が生き延びるのでもない。唯一生き残ることが出来るのは、変化できる者である」という説明に続き、「これからの日本をより発展させるために、いま憲法改正が必要と考える」という結論になる。

私は進化生物学者であり、とくにヒトの進化に関して研究している。あちこちの大学で、進化や人間行動についての講義をかれこれ三〇年ほどやってきた。そこでは、必ず、こういった議論の進め方は間違いだと教えてきたのに、また今回の漫画である。ああ、いったい何回話せば、こういう間違いが正されるのだろう？

まず、簡単なところから事実誤認を指摘したい。「最も強い者が生き残るのではなく……」のくだりだが、ダーウィンはこんなことは言っていない。これは、レオン・メギンソンという経営学者が、一九六三年に『種の起源』を読んだ自分の感想として論文に書いたことが、ダーウィンの言ったこととして流布されてしまったものだ。この誤解は、自民党だけではなく、世界中に広まっているらしい。これはダーウィンの言葉でも現代進化学の通説でもないので、これを機会にこの言説を根絶したい。

では次に、「唯一生き残ることが出来るのは、変化できる者である」というメギンソンの考えは、現代進化学的に見てどうなのか？　これは、進化をまったく理解していない、間違った考えである。進化という現象は、ある集団において、世代を経るごとに集団中の遺伝子の頻度がどう変化していくのか、という「集団レベルで、世代を経て」見える現象である。一方、「変化できる者」というのは一個体のことだ。個体に起きる突然変異が進化の原動力であるのは確かだが、突然変異がどこの誰にどう起こるかは、偶然の事象に過ぎない。

また、進化では、このように偶然で生じた変異が、次の世代に引き継がれて増えていけるかどうかが問題なのだ。最終的に重要なのは個体が「生き残る」ことではなく、繁殖を繰り返す中で、時を経てそれ以降の世代にその変異が増えていくかどうかなのだ。実際の進化では、偶然に生じたランダムな変異が、その時々の環境に応じて、増えたり減ったりするので、唯一の「良いモノ」などは存在しない。

現代進化学は、かなり複雑な理論と実証で成り立っている。そして、新たな発見によって改定されている。進化について書きたいならば、少なくとも現代進化学の実際を知ろうという謙虚な態度を持ってほしい。

最後に、科学の知見は、ある特定の価値観を正当化するものではない、ということを指摘したい。ニュートンの重力理論があるからといって、物は下に「落ちるべき」なのではない。「である」という叙述から「べきだ」という判断を自動的に導くことは、「自然主義の誤謬《ごびゅう》」と呼ばれる間違いだ。

だから、現代進化理論が何を言おうと、そこから直接に、「私たちは○○をすべきである」という判断は導かれない。価値判断は別個にある。科学的知見は、そういう価値判断を下すときの材料であり、価値判断に基づいて何かを実行するときに使う知識なのだ。

生物は、実際に生き残るよりもずっと多くの子を生産し、そのほとんどが成体にならずに死ぬ。これは生物学的事実であり、進化が起こる基礎でもある。これをもってして、「多くの子どもは死ぬべきだ」と主張する人はいないだろう。

間違いは間違いであり、「多様な意見の一つ」ではない。間違いを正すことは学者の責任だと思う。こういう答えもまた、「風に吹かれて」しまうのだろうか？

地球自然生態系と人間文化生態系

世界はこれからどうなっていくのだろう？　新型コロナウイルスの感染拡大により、これまで私たちが当たり前に行ってきたことの多くができなくなった。それは、みんなで集まって仕事をしたり、食べたり飲んだりおしゃべりしたりすることである。

人類は協力して生業を営み、火を囲んで一緒に食事をし、スポーツやらお祭りやらの楽しいことを一緒にすることで連帯感を醸成してきた。そうしたいという欲望は、私たちの生きがいと直結している。このことは、人類が農耕と牧畜を始め、定住生活をするようになるよりずっと前からそうだった。

それが、定住生活を始めると「仕事」の種類が変わり、社会のあり方が大きく変わった。

多くの人間がいつも一緒に顔を合わせて暮らせるので、仕事が分割、分業化された。知識も分割され、それぞれの専門領域ができて、専門家集団の中で洗練されていく。より効率的に、より楽に、より多くの物資を手に入れる方法が発明され、その速度がどんどん加速した。楽しいことの種類も増え、美しいものへの追求も深まった。つまりは、あらゆる欲望をかなえる方向に、人類は知恵を使ってきたのだ。

それでも、一八世紀に石炭火力を利用した蒸気機関が発明されるまで、人類は何をするにも、人力か家畜の力か、つまりは自然のエネルギーに頼るしかなかった。だから、ダ・ヴィンチがいかにヘリコプターや戦車の前身にあたるものを考案しようと、あの時代、それらを実用化することはできなかったのだ。

それが、石炭、石油、やがては原子力という動力源を手に入れたことによって、社会は一変した。

地球上のすべての生物は、太陽エネルギーに起因するエネルギーで生きている。太陽エネルギーを使って植物が自分のからだを作る。その植物を動物が食べる。生物が死ねば、そのからだは分解され、また原子や分子に戻る。それがまた使われて次の生物が生まれる。そこには一定の循環があり、それぞれの生物は、分相応に太陽エネルギーを利用して暮らしており、地球全体として、エネルギー収支はとんとんだった。

しかし、人間は、この太陽エネルギーとは別に、独自の動力源を持ったのである。以後、鉄道、自動車、船舶、飛行機、各種機械などなど技術革新は目覚ましく、森林は破壊され、大量の生物種が絶滅していく。

その結果、今では、私たち人類だけで、地球に降り注ぐ太陽エネルギーの量に換算すると地球一・六個分のエネルギーを消費している。私たちは、いかに石油その他の資源を大量に使ってエネルギーを燃やしているのか、いくら何でもこれはやり過ぎだろう。

そこで最近は、この時代を「人新世《じんしんせい》」と呼ぼうという提案がなされている。地球四六億年の年代は、地質学的にいくつかに区分されており、現在は大きな区分でいうと新生代。その中では第四紀だ。第四紀の中もいくつかに分類され、今は完新世である。その直近の時代として、新たに「人新世」を設けようとの提案だ。

地球の自然生態系がある。そこに人類という動物が進化してきた。その人類は知識を共有して文化を築き、さまざまな発明をし、地球の表面を改変してきた。これを、人間文化生態系と呼ぼう。人間文化生態系は、初めは地球自然生態系の中に完全に組み込まれていた。しかし、特に人類が独自の動力源を手に入れた頃から、地球自然生態系の手を離れ、地球環境を蚕食《さんしょく》しながら肥大化していく。今や、この地球上には、地球自然生態系と人間文化生態系とが、二重構造として存在している。それでも、人間文化生態系が、地球自然生態系の基盤の上に成り立っていることに変わりはない。環境問題はこの二重構造の無理の表れだ。

新ウイルスの出現もその一つである。地球環境を改変し、これまでになかった動物との接触を増やしたことが原因だ。周囲の天候からまったく隔絶されてエアコンの利いた都会の部屋は、人間文化生態系の象徴だ。その中でウイルスによって孤立させられても、みんなで一緒に飲み食いしたいという原始からの欲求は捨てられない。私たちがからだを持った動物であるという事実も変えられない。さらにエネルギーを費やすことでこれを解決することはできないと私は思う。

ヒトが「神様」を必要とするのは

アマビエという妖怪をご存じだろうか？　江戸後期から明治初期にかけて話題になった妖怪である。海から出現し、疫病がはやった時には、自分の肖像を飾れば疫病退治ができると人々に伝えたという。

　ことの真偽は当時から疑問視されていたようだが、このコロナ禍に及んで、一躍アマビエが脚光を浴びている。厚生労働省が作製した、新型コロナウイルス感染症拡大防止のためのポスターにもイラストで登場する。私は知らなかったのだが、友人が、うちのイヌのマギーがアマビエに似ていると言うので調べてみた。本当に似ているかといえば、まあ、鼻面が長くて、首の周りの毛がボサボサしているところぐらいか。

コロナがなければ、アマビエなんて誰も知らなかったに違いない。それにしても、本当に御利益を信じているのかどうかはともかく、ヒトという存在は、どうしても「神頼み」を捨てることはできないようだ。

私は人類の進化を研究する生物学者である。だから、私たちヒトがどうしてこんなふうに世界をとらえ、こんなふうに感じ、こんなふうに行動するのかを研究している。そこで、ヒトがなぜ「神様」という存在を必要とするのかについても、知りたいと思っている。

英国の著名な進化生物学者のリチャード・ドーキンスは、ずっと一貫して既存の宗教を攻撃し、神を信じるのはやめようというキャンペーンを張っている。その著作は数冊あるが、どれも痛快で説得力が高い。

私はといえば、伝統的に仏教の家に生まれ、父方と母方で宗派は違うが、基本的に仏教の伝統で育てられてきた。しかし、大人になって科学者になり、今ではははっきりと無神論者である。それでも、親の仏教のみならず、日本に古来存続する、万物に霊を感じるアニミズム的なものも、何か私の心の奥深いところで核となっている気がする。

もう十数年以上も前になるが、カンボジアのポル・ポト政権が行った虐殺の跡地を訪ね、山積みになった骨や、いまだに犠牲者の着ていた衣服の切れ端が土の中から顔を出しているようなところを見た後、どうしてもお寺に行って拝みたくなった。そして、私とは縁もゆかりもない仏教の宗派のお寺なのだが、裸足で上がってペタンと座り、お祈りをすることで、少しは心の平安が得られた。あれは何だったのだろう？

これまでの私の人生では祖父母や母が次々に高齢で亡くなった。その命日やらお盆やらは、それなりに行事を行っている。しかし忘れてしまうこともある。

ところが、二〇一九年の四月に私たちが可愛がっていたイヌのキクマルが老衰で亡くなった。ほぼ一五歳だった。イヌとしては高齢で大往生なのだが、人間の人生からしてみれば一五年は短い。キクマルは本当に可愛い子だった。キクの位牌《いはい》にお水をやる、命日にお花を飾る。自分の母に対するよりもずっと気遣っている自分がいる。これは何なのだろう？

人間が「神様」を必要とする理由はたくさんある。宗教の教義にかかわらず、ヒトにはある種の善悪の感覚がある。そして、善が悪に負けている状態を見ると何とかしたいと欲する。ところが自分の力がまったくそれに及ばないことがわかると無力感に陥る。そこで、自分たちの力を超えた全能の存在が、いずれ何とかしてくれるだろうと信じたいのだ。無力な自分には、そう望む以外にできることがない。そう望むことで心の平安を得るのである。

自分にとって大事な個人が早世したことに対してもヒトは何らかの慰めが欲しい。自分が彼らをケアしていることを示し、彼らがそれを見て幸せな気持ちでいると思いたいのである。

私は無神論者である。それと同時に、私は、以上のような感情を持っている。だから、行動としては、私は信念と矛盾したことをしている。それでもいいのだと思う。宗教心は、そんなに簡単なものではない。

ヒトは、自分で周囲の出来事を制御できると安心する。が、どうにもならないことがしばしば起こる。その時には、自分を超越した存在にお願いし、ひとまずそちらに任せることによって安心を得るのだろう。

科学は、この世界の成り立ちについて多くのことを明らかにしてきたので、世界の説明では宗教の入る余地は少ない。しかし「安心」のよりどころとしては?

人類進化史の中にリーダーはいたのか

毎年、知人が開催しているリーダー養成講座というところで話をしている。最近は同種の講座が大変多い。混迷する世情を反映してか、誰もが、強いリーダーシップを発揮するにはどうしたらよいのか、模索しているのだろう。大学の学長もやたらにリーダーシップを求められる時代である。

さて、このリーダーという存在。人類進化史で見るとどうだったのだろう？　常習的に直立二足歩行する人類という生物が誕生したのは、およそ六〇〇万年前。今の私たちと似たような体つきのホモ属が進化したのが、およそ二〇〇万年前。私たち自身であるホモ・サピエンスが進化したのが、およそ三〇万年前である。

この人類進化史の中で、果たしてリーダーはいたのだろうか？

サルの社会で「ボス」と呼ばれる雄がいる。しかし、人間社会におけるリーダー的存在と同じだと思ったら大間違いだ。群れの移動をボスが決めているわけではないし、群れを統率するわけでもない。サルには、雄どうしの社会的順位と雌どうしの社会的順位が独立に存在する。ほとんどのサル類では、雄の方が雌よりもからだが大きくて強いので、順位も雄の方が高い。

雄どうしの競争で勝った雄が第一位になる。だから、その雄が群れの中で一番順位が高いことになる。しかし、サル類の群れは、血縁関係にある雌たちで連綿と続いており、今の群れにいるおとなの雄たちはみな、外からやってきた雄なのだ。それらの雄たちが群れの中に入れるかどうかは、雌たちが受け入れてくれるかどうかにかかっている。

雄どうしの間の競争に勝ったからといって、群れの雌たちに好かれるとは限らない。そこには別の原理が働いている。そして、雌たちに好かれない雄は、やがて群れを去ることになる。

ヒトと近縁のチンパンジーでは、逆に、血縁関係にある雄どうしの結束が群れの中核である。雌はすべて、よそからやってきた者たちだ。全体として見ると、雌どうしの間に強い絆は存在しない。チンパンジーは、食物をめぐる環境要因によって、個体が離合集散する。とくに群れを統合している個体などはいない。第一位の雄はいるが、下の順位の雄たちによって殺されることもしばしばある。

ヒトはどんな社会で暮らしてきたのだろう？　一万年前に農耕と牧畜が発明されるまでは、狩猟採集民だった。狩猟採集民は、食物の状況によって離合集散し、大きな集団は作らない。どんなに狩りが上手でも、それを自慢したり、それによって他者に影響を及ぼそうとしたりする人物は嫌われ、排除される。みなが自分で自己決定しながら、生存のためには互いに協力しあう、そんな共同社会だ。

そこで、現在考えられているような、みなを統率して一つの方向に引っ張っていくようなリーダーという存在は、私はいなかったのだと思う。それは、農耕と牧畜が始まり、定住生活が始まってから初めてできたに違いない。とすると、リーダーの進化史は一万年未満ということになる。一万年といえば、ヒトの集団が次の子どもを産むまでの世代時間を二五年として、およそ四〇〇世代である。進化的には大変短い時間だ。

ヒトの気質に影響を及ぼす遺伝子は、いくつか知られている。たとえば、脳の中の神経伝達物質には、ドーパミンやセロトニンなどさまざまなものがあり、それらの受容体には、いくつかのタイプがある。タイプによって、新しいもの好きの傾向になったり、引っ込み思案傾向になったりと、性格の基本には、そんな遺伝子の変異があるようだ。

では、リーダーに向いている遺伝的変異はあるだろうか？　私はないと思う。定住生活や都市の形成が始まってからたった四〇〇世代なのだ。実にいろいろな都市や国家の形態があった中で、リーダーに有利さをもたらした遺伝子などというものはないだろう。

社会が変わればリーダーに求められるものも変わる。また、「ぶれない」は「頑固」でもあり得るように、性質には必ずよい面と悪い面があるものだ。だから、私たちは、歴史上のリーダーたちの行いを小説として楽しみ、精査し、評論し、リーダーとは何か、リーダーシップを発揮するにはどうしたらよいのか、ずっと模索し続けていくしかないのだ。

永遠に生き続けたいという欲望

コンピューター関連技術の昨今の進展は目覚ましい。これほど大量のデータを読み込み、処理し、解析し、記憶し、瞬時に検索することができるようになるとは、たった二〇年前であっても、誰が予測しただろう？

ヒトの脳には、およそ八六〇億から一〇〇〇億個の神経細胞があるのだそうだ。それ自体ずいぶん大きな数字だが、これらの神経細胞どうしがさらにシナプスでつながっている。ヒトでは、大脳皮質だけでも一三〇兆個近くものシナプス結合があるらしい。

私たちの脳は、こんな想像を絶する規模の神経ネットワークが働く場だ。だから、長らく、ヒトの脳の働きを研究するのは困難だった。今でも難しいのだが、コンピューター関連技術などの格段の進歩によって、脳の理解もずいぶん進んだ。

それと同時に、人工知能（ＡＩ）分野の研究もずいぶん進んだ。未来学者のレイ・カーツワイルは、二〇〇五年に出した書物の中で、四五年にはコンピューターの処理能力がヒトの脳の処理能力を超えるようになるだろうとし、それをシンギュラリティー（技術的特異点）の到来と呼んだ。

そのころから、やがて今の人間たちがやっている仕事の多くは人工知能関連技術でまかなわれるようになり、人間の仕事がなくなるなど、さまざまな臆測が飛び交うようになった。

そして、カーツワイル自身もそうだが、このような未来像を展開している人々の多くは、自分が永遠に生きたいという望みを持っているようだ。その方法の一つとしては、自分の脳に蓄積された情報を全部コンピューターにコピーし、からだ自体はロボットにして、コピーされた「自己情報」がロボットのからだを動かすことで不老不死になる、ということが考えられる。

一方、自分の肉体を本当に永続させるという、生物としての話もある。昨今は、生命科学の発展も目覚ましい。老化というプロセスがどのようにして起こるのかについても、ずいぶん多くのことがわかってきた。そのメカニズムだけを見ると、老化とは、細胞が遺伝子を発現させている過程で生じるさまざまな不具合の積み重ねと言えるだろう。だから、その不具合を取り除くことができさえすれば、老化を防ぐことも可能になる。

最近では、乳幼児の死亡率が減少し、世界的に平均寿命が延びている。中でも、先進国では、多くの病気の治療が進み、八〇歳以上まで生きる人の割合が急速に上昇。しかし、ヒトという生物の潜在寿命は一二〇歳ぐらいと言われている。それは、この細胞レベルで生じている不具合の積み重ねを、すっかり取り除くことはできないからだ。

もしも、それができるようになれば、よぼよぼで意のままにならない状態で生き続けるのではなく、だいたい三〇歳ぐらいのからだの状態を保って、ずっと生き続けることができるようになるのかもしれない。もし、そうなったら、みなさんはそれを望みますか？

私が見るところ、若さを保って永遠に生き続けたいという欲望を表明しているのは、おもに年のいった男性である。若い男性や、若くても若くなくても女性が、このような欲望を表明しているのには、お目にかかったことがない。老いるということが実感されるようになったあと、永遠の活動を欲するのは、おもに男性だということだろうか。女性には閉経があり、繁殖に終わりがあるのが明らかだ。それをやめて永遠に子どもを産んで子育てしたいと望む女性はいるのだろうか?

生物の個体は老化して死ぬようにできている。ヒトも生物であり、そのように一生が変化するからこそ、さまざまな事柄を考えてきた。限りある生には悲哀がつきものだが、あきらめを伴う希望、つまり、将来に託すという希望もあり得た。知恵とは、そういうものではないか。

それがなくなり、自分がいつまでも活力旺盛に動ける人生になれば、このすべてが変わる。過去の哲学と知恵は無意味になり、それこそ新しい人類になるのだろう。そこで地球環境問題はどうなるのだろうか?

もしも、永遠の命が年取った男性に限った願望なのだとしたら、それで人類全体を変えることはしてほしくない。嫌なヤツもやがては滅びる、ということがなくなる社会を、私は望まないから。

ヒトが引き起こす大量絶滅

このところの思いがけない天候の不順には、恐ろしい気持ちになる。世界各地で毎年更新される、その地の最高気温。毎年繰り返される大雨と大洪水。毎年のように大雨で九州などに被害が出る。たたきつけるようなざあざあ降りの中、また、くらくらするほどの太陽光線の中、近い将来、これまでのようにきれいな服を着て、きれいな靴を履いて歩くことはできなくなるのかもしれないと感じた。

気候変動が起こっているのは確実だ。これは、きれいな服や靴などのぜいたくの話ではない。海水面の上昇も含め、今後、本当に人が住めなくなる地域や、食料生産のできなくなる地域も増えるのだろう。

たくさんの種が絶滅し、生物多様性が激減している。それは、四六億年の地球史上、何度か繰り返されてきた大絶滅と比較しても、さらに急激で大規模な絶滅だという。たとえば、二億五一〇〇万年前に起こったペルム紀後期の大量絶滅は、地球史上最大の絶滅といわれ、すべての生物の八〇％以上が絶滅したと推定されている。これまでの大量絶滅はみな、地球の地殻などの変動による変化だったが、今回は、私たちヒトという生物が引き起こしている。

しかも、これまでの大量絶滅は、地質学的に長い時間をかけて生じてきた。しかし、私たちが引き起こしている大量絶滅は、ほんの数百年単位でのことなのだ。自然が、こんな速度の絶滅にどう対応できるのか、おそらくできないのではないかと思う。

一九七二年に出されたローマ・クラブによるリポート『成長の限界』は、あまりにも有名だ。資源の使い過ぎと人口増加がこのままなら、一〇〇年以内にこんなことは続けられなくなると予測した。私が大学に入学した年である。しかし、当時の議論としては、石油が枯渇する、公害問題が深刻だ、といった論点が中心で、二酸化炭素排出や生物多様性の問題は取り上げられていなかったように思う。

大学一年のときにそのような報道に出合い、その後、生態学を勉強する中で、ロジスティック曲線について学んだ。生物の個体数は、少ないうちは資源があるのでどんどん増えるが、増えるにつれ資源が枯渇し、種内競争も激化する。数の増加は鈍り、やがて環境収容力いっぱいのところで一定となるというモデルである。

この個体群動態モデルは単純で、さまざまな前提を置いた上でのものだ。実際の生物個体群では、こんなにきれいなS字状にはならない。それでも、ここには重要な示唆が込められている。それは、環境は無限ではないということだ。

ところが、経済学ではどうも、環境は無限だということが大前提となっているらしい。少なくとも資本主義においては。

私は経済学が専門ではないので、詳しいことは知らないのだが、資本主義、市場経済、新自由主義、イノベーションなどなどの議論を聞いている限り、どこまでも成長し続けることが目標とされている。

それはおかしいのではないかと思うのだが、人間は長い間、世界は無限だと考えても差し支えない状況にあったのだろう。まずは、文明世界が、他の非文明世界を「発見」していく。そこに植民地を作り、人間が移民する。この生息地の拡張は、ほぼ全地球に人間が移住するまで続いた。

次は、さまざまなイノベーションである。作物の画期的増収を図れる肥料や殺虫剤を開発する、新たなエネルギー源を開発する、抗生物質を作る、などなどにより、人間が住める限界である環境収容力自体を引き上げてきた。

しかし、人間が開発してきた技術には、その技術のめざす効果以外の別の面で悪影響がある。それが、公害問題などというような、ある特定の場所での、ある特定の問題である限りそれも技術によって解決された。現代の問題は、もっと大きな負の遺産である。それは、人間の活動が地球システムのあり方全体を狂わせているということなのだ。もうこれ以上、世界を無限と考えてもよい根拠はない。

生態学という学問の英語の名称はエコロジーである。経済学の英語名称はエコノミクス。この両者に入るエコという言葉は、ギリシャ語の「家」という単語から来ている。両者ともに、家の中に住むことにかかわる学問なのだ。もう少し、両者の対話が必要ではないか。

ロボットに「意味」はわかるのか

中学・高校のころ、ＳＦ小説が大好きで、早川書房の『ＳＦマガジン』を愛読していた。いつだったたか、星新一氏による、未来の地球を描いた短編があった。

地球全体におびただしい数の道路網が張り巡らされていて、そこをタイヤが走り回っている。道路に穴が開くなどすると、自動的に修復される。タイヤのパンクも、同じく自動修復。こうしてタイヤは道路を無限に走り続けるのだが、人類はもう絶滅してしまっていて、地球には誰もいない。

子どもの私には、この話のどこがよいのかよくわからなかったが、今でも鮮明に覚えているということは、よほど印象深かったのだろう。道路とタイヤというのは、まさにモータリゼーションが始まるころの日本を象徴しているが、「自動修復」というアイデアや、意味なしに走り続けるという設定に、現代の人工知能（ＡＩ）とロボットを感じさせるではないか。

最近、英国の科学雑誌で、人間のようなロボットが出てくる映画の紹介記事を読んだ。両親を亡くした九歳の子どもの世話をし、その子を、肉体的および精神的な危害から守るように、という使命を受けたヒューマノイド・ロボットである。しかし、ロボットには、「子どもを守り育てる」というのがどういう意味なのかはわからない。だからロボットはすべての「危害」を除去し、子どもをすべての悪いことから遠ざける。

その結果、子どもは何も学ばないし、成長しない。評者は、子どもを育てることの本質は、危険から守ってあげながらも、さまざまな事態に際し、自分でなんとか対処できるようにさせることだと言う。この意味がロボットにわかるか？

それを言えば、「意味」とはどういう意味だろう？　とても難しい問題なのだが、意味とは、単語や文章の理解だけの話ではない。その言葉が発せられた状況、過去の記憶、本人や他者の感情、などなどのすべてを踏まえて、その場のそのことだけにとどまらずに、総合的にとらえられる実感なのではないか。

そのことには、自分にからだがあり、からだで動いて経験し、成長し、やがて死んでいくことを知っている、という前提があるのではないか。だから、生身のからだを持たず、成長し、学習し、膨大な記憶のもとで人生観を築いてきたのではないロボットには、「意味」がわからないのだと思うのである。

現在のチャットボットなどは、他の人間たちが吹き込んださまざまな言語データをもとに、ある単語と別の単語との結び付きを学習することによって、一見まともな会話をする。しかし、それらが発している言葉の意味はまったくわかっていない。では、やがて彼らも意味がわかるようになるのだろうか？

ロボットやＡＩの研究者たちは、なんとか意味がわかるロボットを作ろうとしているし、賢いプログラムさえできれば、可能だと考えているようだ。しかし、どこまで行っても、からだがなく、それが成長しつつ経験を記憶し、やがて死ぬのが運命だとどこかで知りながら生きている、という存在でなければ、「意味」を理解することに意味はないと思うのである。

そして、そもそも「意味」のわかるロボットを作ることにどんな意味があるのだろうか？　それは人間を作ることだろう。さらに、人間では、同じ言葉や事態を前にしても、人によってその意味は異なる。ロボットはどんな意味を採用するのだろう？　それはロボットごとに異なるのだろうか？

私の大好きな小説の一つに、サマセット・モームの『人間の絆』がある。その主人公は、若いころからずっと人生の意味を探して悩む。師とあおぐ人が言うには、「人生の意味はペルシャ絨毯《じゅうたん》にかいてある」。そこで、もらったペルシャ絨毯の切れ端を壁にかけて、毎日眺めるのだが、よくわからない。ある日、気付く。人生に意味はないのだと。人生とは、ペルシャ絨毯の職人が気の向くままに織り込んでできた模様のようなもので、一生懸命生きてきた結果に過ぎないのだ。

私たちは、限りある人生を生きている存在だからこそ、さまざまな事柄にそのつど意味を見いだし、それらをつなげて毎日を暮らしている。それがわかる機械ができたら、それは、ある種の他人と同様にやっかいな存在に違いない。

進化生物学の現在

昨今の生物学の発展には目を見張るものがある。それはおもに、生物を作るもとになっている遺伝情報の解明によるものだ。一昔前には、「ゲノム」という言葉は、それほど普及してはいなかったが、今では、いろいろなところで、日常的に出てくるのではないだろうか。ゲノムとは、生物の複製のもとになっている遺伝情報の総体である。遺伝情報は、アデニン（A）、グアニン（G）、シトシン（C）、チミン（T）という四つの塩基の並びで書かれている。遺伝子の構造が解明されて以降、全ゲノムが解読された、すなわち、その生物の遺伝情報の全配列が読まれたという生物種も、毎年増えている。

生物の親子がどうして互いに似ているのか、また逆に、種が違うとどうして生物の形態も生態も異なるのか、という問題は、古代ギリシャの時代から疑問に思われていたものの、長らく未知のままであった。遺伝子というかたまりがあって、それが親から子に受け継がれるのだということを最初に明らかにしたのが、グレゴール・メンデルであった。一九世紀半ばである。メンデルは、生物のいろいろな性質を決めている粒子があり、それが親から子に受け継がれるときには、ある種の法則があることを見いだした。それがメンデルの法則である。メンデルがそのときに書いた論文は誰にも注目されなかったが、一九〇〇年に再発見された。

では、この粒子とはどんな物質なのだろう？　そして、どうやって正確な複製が行われるのだろうか？　一九四〇年代には、遺伝情報を担っているのは、デオキシリボ核酸（DNA）という物質であることがわかった。それが二重らせん構造をしているから、うまく複製が出来るのだということを明らかにしたのが、ワトソンとクリックらで、その発見は一九五三年である。そして今や、全ゲノムが解読された生物の種は一〇〇〇以上にのぼり、私たちヒトのゲノム解読も、二〇〇三年には完了した。

その過程で、生物が進化するということは当然の大前提になり、さまざまな解析が行われている。しかし、改めて進化とは何かというと、あまり正確な理解はされていないような気もする。進化は、生物学における非常に重要な概念であるが、巷《ちまた》では、さまざまな誤解もある。ここでは、進化の概要を改めて見直してみたい。

「進化」という言葉は、いろいろなものが改良されたり、発展したりすることに使われることがよくある。よりよい製品が発売されると、「進化した○○」と言われる。また、宇宙の進化というように、無生物に対して、その長い時間における変遷を表すときに使われることもある。

しかし、生物進化は、生物の集団の遺伝的構成が、世代を経て変化していくことを指す。一個体の一生の間には、成長して大きくなったり、幼虫がサナギになるなどの変態が起こったり、また、学習の成果によってスキルが上達したりすることもある。しかし、それらは進化ではない。互いに交配する生物の集団があり、子どもが生まれて次の世代になる。それが繰り返されていく過程で、祖先の世代の集団が持っていた遺伝的構成が変化することを進化と言うのだ。

大事なのは世代交代である。だから、大腸菌などの細菌類は、二〇分間に一度という速度で分裂して次の世代を生み出していくので、二〇分間に一度の変化のチャンスがある。

それに対し、ヒトでは、平均して二五歳で次の世代を産むとすると、進化のチャンスは二五年に一度しかない。進化に要する時間を考えるには、絶対時間ではなく、世代時間で考えねばならないのだ。

ところで、昨今の新型コロナウイルスであるが、何度も新しい株が出てきて猛威を振るった。ウイルスというのは、厳密に言えば生物とは言えない。なぜなら、自分自身で自分の遺伝子を複製していくことができないからだ。ヒトなど、他の生物の細胞に取りつき、その細胞が持っている複製装置を乗っ取って、自分自身を複製させている。しかし、ウイルスにも遺伝子があり、それは進化する。ウイルスが次々に宿主の細胞に取りついて複製を行っていくと、そのたびに進化のチャンスがあるので、ウイルスの進化速度は早い。これからも、まだまだ新しい株が出てくる可能性はあるだろう。

では、生物集団の遺伝的構成はなぜ変わるのだろう？　つまり、なぜ進化は起こるのだろう？　まずは、遺伝子が複製されるときに、読み間違いが起こる。これを突然変異と言う。この新しいタイプの遺伝子が、その後どのような運命になるかには、原理的に、（1）消えてしまう、（2）増えも減りもしない、（3）増えていく、の三つの可能性がある。

ある突然変異が、それを受け継いだ受精卵や個体の生存率を低くする効果があるとしよう。そうすると、この突然変異は消えてしまう。突然変異はランダムに生じ、これまでうまくいっていたものを壊すことになるので、たいていの突然変異の運命はこうなる。これを純化淘汰と呼ぶ。

突然変異が、個体の生存や繁殖にとって、とくに害も益ももたらさない場合もある。それを中立と呼ぶ。それが集団中に増えていくかどうかは、純粋に確率的に決まる。消えてしまうかもしれないし、そこそこに存続するかもしれないし、増えていくかもしれない。こんなことは、集団のサイズが小さいほど起こりやすくなる。これを遺伝的浮動と言う。

ある突然変異が、その生物が生息している環境において、生存と繁殖にとって有利な効果をもたらすときには、その変異の持ち主は、そうではない個体よりも多く生き残り、多く子孫を残すだろう。そうすると、世代を経るにつれ、その遺伝子は集団中に増えていく。これが正の淘汰である。そして、その集団全体を見ると、その性質において、よりよく環境に適応していく。これが適応進化である。

昔は、遺伝子についてよくわかっていなかったし、脊椎動物の祖先から魚類などが出現してくるような、長い時間を経て起こる大進化ばかりを念頭に置いていたせいか、進化は歴史的できごとなので、人間が生きているうちには観察できないと思われていた。

しかし、いまでは遺伝子の詳しい仕組みがわかるようになった。遺伝情報を担うたくさんの配列の中には、とくにタンパク質を作ることに関与していない配列もある。それらの中には、中立であることが明らかなものもあるので、そのような部分に蓄積される変異は中立であるに違いない。だとすると、ある集団が別の集団と分かれたあとの経過時間が長いほど、その二つの集団間の、その部分の違いは大きくなるはずだ。これが中立説に基づく分子時計の原理である。こうして今では、ヒトとチンパンジーの祖先が分岐したのはおよそ六〇〇万年から七〇〇万年前であることなどが明らかにされている。

中立な遺伝子の違いは、これは、とくに害にも益にもならない変異が、時間とともにどのように変わっていくかを示しているので、いわば、変化のバックグラウンドと言える。それに対し、ある集団において、そのようなバックグラウンドの変化と比べて有意に大きな変化が起きている遺伝子の部分があると、そこには正の淘汰が働いてきたと考えられる。

たとえば、FOXP2という遺伝子があり、哺乳類でよく保存されている。哺乳類の出現は今からおよそ六五〇〇万年前だが、三五〇〇万年ほど前に出現した旧世界ザルの仲間においては、一カ所違いが生じた。ところが、ヒトとチンパンジーが六〇〇万年前に分岐したあとで、ヒトだけにさらに二カ所の違いが蓄積している。これは、何か正の淘汰が働いた結果ではないだろうか。それが、ヒトにおける言語機能の進化と関係していたのではないかということで、さかんに議論が行われている。

これは、遺伝子の探索でわかることだが、生物の適応進化に関しては、古くから、目に見える個体の形質や行動から推測されてきた。たとえば、魚やクジラ、ペンギンなどの流線型の体型は、泳ぐのに適応した形である。水の抵抗を少なくし、速く移動するための適応として、水中生活の中で正の淘汰が形態に働いた結果だと考えられる。

ほかにも適応の例は無数にあるが、それらの形質の背後にある遺伝子についての知識がなかった時代には、これらはみな、ただの憶測ではないかという批判が根強くあった。しかし、適応を検出する科学的方法は現に存在するし、なんでもうまくいく物語を作っておけば、それが学問的に通用するわけもない。現在では、多くの形質の遺伝的基盤について解明されてきたので、そのような批判も弱くなっている。

血液型にＡＢＯがあるのはよく知られている。これは、赤血球の表面のタンパク質を決める遺伝子に三通りあるから生じることだ。この遺伝子は、第九番染色体の長腕の先に位置している。そこには全部で一万八〇〇〇の塩基配列が並んでいるのだが、重要な働きを担っているのは、その中の一〇六二塩基対である。

A型の遺伝子では、その中の五二三番目がシトシン（C）、七〇〇番目がグアニン（G）、七九三番目がシトシン（C）、そして八〇〇番目がグアニン（G）である。B型遺伝子では、五二三番目がグアニン（G）、七〇〇番目がアラニン（A）、七九三番目がアラニン（A）、八〇〇番目がシトシン（C）である。あとは同じ。O型遺伝子では、二五八番目のグアニン（G）が欠損しているので、以後、ずっと一つずつずれる結果、すべてが読まれなくなった。つまり、タンパク質を作らないのである。

このABO血液型遺伝子のそれぞれの変異の頻度は、人類のさまざまな集団によって異なる。日本人には比較的A型が多い。ところで、アマゾンに住むシャバンテという部族の人々の間には、AとBの変異は存在せず、全員がO型である。なぜそうなったのだろう？アマゾンの奥地に住むという環境において、血液型がO型であることがとくに有利だったのだろうか？　そうとは考えにくい。

人類はおよそ五万年前にアフリカを出て、ベーリング海峡を経て北米大陸から南米大陸へと降りていく。そして最終的にアマゾンの森林にたどり着くわけだが、その過程で、集団のサイズはつねに小さかったに違いない。そのような小集団では、偶然の変化によって

AとBの遺伝子が消えてしまう遺伝的浮動が起こったのではないだろうか。この中立進化の考えはもっともらしい。

適応進化にしても、一筋縄ではいかない。なんらかの遺伝的変異が、個体の生存と繁殖に有利な効果があるから集団中に広まると言っても、有利な効果だけではない場合もある。たとえば、鎌状赤血球貧血症という病気を考えてみよう。これは赤血球のヘモグロビンタンパクを作る遺伝子の配列に一つの突然変異が生じたために起こる病気だ。この変異のためにヘモグロビンの形が変わり、鎌状に見えるのでこの名がついた。この遺伝的変異を、両親からともに受け継いでホモ接合で持っている人は、重症の貧血症になるので、生存率が低い。

では、この遺伝的変異は消えていく運命にならないのだろうか？ アフリカでは、この変異はなくならず、かなりの頻度で集団中に存続している。それは、両親のどちらかからこの変異を一つ受け継ぎ、もう片方の親からは正常な遺伝子を受け継いだヘテロ接合の個体は、マラリアに対して耐性が強いのである。鎌状になったヘモグロビンには、マラリア原虫が住みつきにくいのだ。こうして、マラリアによる死亡率がかなり高いという環境下では、鎌状赤血球の遺伝的変異は完全には除かれない。マラリアによる死亡と貧血症による死亡とのバランスの上で、一定程度はつねに保たれていくのである。
現在では、大腸菌やショウジョウバエなど、世代時間の短い生物を使って、大量の個体を異なる飼育条件下で育て、何十世代もあとに性質がどのように変化しているかを見る実験進化学の研究がさかんに行われている。そのような研究結果には、酵素の成分の変化から性的な配偶相手の操作に至るまで、多くの形質の進化が含まれている。

ここで、一般に流布していそうな、進化についての誤謬をまとめ、訂正してみたい。

（1）「進化は種の保存のために起こる」は間違い。
ヒトという生物は、集団を作り、集団内の社会関係によって互いに支え合っている。個人がまったく個人の趣味だけで暮らしていけるような動物ではない。だからなのだろうが、生物は「種の保存」のために進化すると考えている人々は多い。しかし、それは間違いである。進化というプロセスには、目的もなければ全体計画もない。つねに、個体が次の世代にどれだけの子を残したかということによっているので、要は個体どうしの繁殖力の差異の問題である。その繁殖力の差異がなぜ出来るかといえば、万事、その場の都合によって変動する。

集団を作って暮らす生物にとって、集団全体の利益は、必ずしも、個々の個体の利益と合致するとは限らない。そこにはいろいろな葛藤がある。これまでの研究によれば、集団全体の利益の方が個体の利益にまさって働くには、厳しい条件が必要だ。普通に考えれば、すべて、個体の利益を優先に進化は起こるのである。

だから、ヒトにおいてなぜこれほどまでも「集団のため」という思考が強いのか、そちらをこそ考察せねばならない。

（2）「進化的適応は完璧を作り出す」は間違い。

ある遺伝的変異が、それを持つ個体の生存と繁殖に有利であれば、そのような変異は集団中に広まる。それが適応進化である。しかし、だからと言って、進化によって完璧な適応が生じるかと言えば、そんなことはない。なぜなら、進化というプロセスには目的もなければ全体計画もないからだ。自然のプロセスにはさまざまな変動があり、鎌状赤血球貧血症のところで述べたように、それぞれの状況で有利なことは、互いに矛盾することもある。だから、完璧は生じえない。

（3）「進化は進歩である」は間違い。

技術や製品の「進化」というコピーは、以前のものよりもよくなった、つまり、進歩したことを表すために使われている。しかし、生物進化のプロセスは、これまでに述べたように場当たり的、刹那的な「有利さ」の積み重ねに過ぎないので、確実に次の世代が良くなっているとは限らない。洞窟に住むようになった魚が、眼を失うようなことは、「退化」と呼ばれる。しかし、退化も進化の一形態である。

真っ暗な洞窟に住むのであれば、光を感知する眼という器官は無用になる。無用な器官を形成する遺伝子に何か変異が生じたとしても、何の影響もない。こうして、無用な器官を作る遺伝子に積み重なっていく変異は、結局は、その器官を無くしてしまうように働くこともあるだろう。また、そんな無用な器官にエネルギーを費やすなら、別のところにエネルギーを回した方が有利になるという、正の淘汰も働く。だから、進化は必ずしも進歩を生み出すものではないのである。

第二章　私たちの社会と文化を考える

身の回りからできること

進化生物学は、地球上のすべての生物の進化について研究する。自然人類学は、ヒトという動物について研究する。ところが、ヒトは文化を持っており、同じヒトでも文化が違えば、考えること、感じることがずいぶんと異なる。そこで、多様なヒトの文化そのものについて考察するのが、文化人類学である。

自然人類学は、文化はさておき、すべてのヒトに当てはまる性質を研究するのだが、ヒトの行動や心理の進化の話となると、文化の存在を無視することはできない。それはそうなのだが、どんな文化であれ、ヒトに共通する進化的性質を度外視したような文化が現れることはないはずだと仮定している。つまり、進化的に作られたヒトの性質をもとに、それぞれの集団で固有の文化が作られたと考えるのだ。

日本には日本文化があり、日本の社会は、日本固有の文化的環境の中で存在している。その日本で起こっていることを考えるには、ヒトの進化的性質に加えて、日本の文化的環境を考えねばならない。生物進化と文化環境との相互作用は難しい問題なのだが、進化生物学者として、日本という社会を見たときに思うことを取り上げてみた。

私は、今の日本社会、とくに若い人たちを取り巻く日本の社会環境には、大いなる危機感を抱いている。その危機感を、読者のみなさんと共有したいと願っている。

世代と世界観

元首相で、東京オリンピック・パラリンピック組織委員会の会長をしていた森喜朗氏が、「女性がたくさんいる会議は時間がかかり過ぎてよくない」といった内容の発言をし、それが問題視されて辞任した。

発言の内容が事実なのかも問題だし、みんながたくさん発言して議論が沸騰し、時間がかかることはそもそも悪いことなのか、というのも問題である。ともかく問題だらけなのだが、ここでは少し異なる角度から考えてみよう。それは、個人の世界観がいつ、どのようにして形成されるかだ。

立憲民主党の枝野幸男氏が国会で、森氏の先の発言に関し「昭和に生きているようだ」

と言った。それはその通りなのに違いない。というのも、個人の基本的な世界観や人間観は、思春期から二〇歳ごろまでに作られるらしいからだ。

国際的に有名な、米国の社会心理学者のリチャード・ニスベット氏は、南部育ちと北部育ちの男性とで、さまざまな事柄に対する心理的反応が顕著に異なることに注目した。米国は、自由と平等の精神で移民たちがつくった国家だという看板だが、昨今の大統領選挙をめぐる断絶でも明らかなように、決して一枚岩なわけではない。黒人奴隷の是非に関する論争が内戦にまで発展したのが南北戦争であった。南部と北部の文化差は実は非常に大きい。

南部育ちの男性は、いろいろなささまつなことでも自分に対する挑戦とみなし、そのけんかに自分が勝つことが重要だと思っている。一方、北部育ちの男性はそうは受け取らず、そんな状況でいちいち勝負を挑むことに意味を見いださない。

まずはその違いを実験的に明らかにするために、ニスベット氏らは、生粋の南部男性と生粋の北部男性とに実験への協力を求め、ある実験を行った。

参加者たちは、単純な質問紙に回答するように依頼され、その前に唾液を採取される。そして、その質問紙を持って狭い廊下を通り、次の部屋でそれを回収箱に入れる。ところが、その狭い廊下には書類棚が置かれていて、研究者が調べ物をしている。参加者はそこを無理に通過せねばならず、すると、その研究者が、「まったくもう！」と低い声で文句を言うのだ。そこを通り抜けて質問紙を回収箱に入れたあと、参加者は再度唾液を採取される。

もうおわかりだろうが、この実験の本当の目的は、このささいな「侮辱的発言」を聞くことに、参加者がどのように反応したかを調べることなのだ。採取した唾液中に存在する男性ホルモン（テストステロン）の量を調べたところ、南部出身の男性では、「侮辱」の経験後に、それが激増していたが、北部出身の男性ではそんなことはなかった。

南部文化で育った男性は、自分に対する他者からの発言を、しばしば侮辱ととらえ、反撃のために攻撃性を高めるのだが、北部文化で育った男性は、そういう反応はしない。

この研究はいろいろな点でおもしろいのだが、私が注目したいのは、この違いができるのが、思春期から二〇歳ごろまでだということだ。それ以前に南部から北部、またはその逆に移住した男性では、住んでいる場所の文化に応じて価値観に変化が起きたが、それ以後に移住した男性では、一生、その傾向は変わらなかったのである。

人間は、自分の頭で考え、それぞれの場面に応じて適切に対処していくことを学ぶ。しかし、基本的な価値観、人生観は、思春期ごろまでに経験したことに基づいて作られるのだ。それ以後、変化に応じて行動や発言を変えてはいくものの、考え方の基本は変わらない。

森氏は八三歳だ。彼の基本的な世界観が作られたのは、戦前なのだろう。それ以後、世の中は激変した。それに応じて行動してはきたものの、彼の基本的な世界観は変わらない。それが、「いまだに昭和に生きている」ということなのだ。

社会の変化がゆっくりであったときには、それでもよかった。しかし、紀元前の粘土板に書かれた記録にも、「今の若者は」という記述があるくらい、社会の変化はつねに起こっている。だから世代間ギャップが生まれるのだ。

世代間ギャップが、実際の社会的意思決定に支障をきたすようでは困る。社会を動かす人々の間で世代交代が必須なゆえんである。

日本の若者たちの意識

日本財団が行っている「一八歳意識調査」というものがある。一八歳の若者を対象に、昨今のいろいろな社会課題に関する意見を調査している。二〇一九年には、「国や社会に対する意識」に関して、日本を含む九カ国で調査が行われた。インド、インドネシア、ベトナム、中国、韓国、英国、米国、ドイツと日本で、一七歳から一九歳の各国一〇〇〇人ずつを対象とした。

二〇一九年といえば、新型コロナウイルス感染症の蔓延《まんえん》で世界中が非常事態になる前のことだ。もしかすると、若者たちの意識もそれに応じて変化したかもしれないが、二〇一九年時点での世界の若者たちの意識を見てみよう。この結果に私はがくぜんとし、日本の将来を真剣に憂える思いを抱いた。

調査項目の第一は、「自分を大人だと思うか」である。日本で「そう思う」若者は、全体の二九・一％だった。つまり三分の一だ。中国が一番高くて八九・九％。各国ともだいたいが八〇％台。韓国の四九・一％とベトナムの六五・三％が特に低いのだが、日本はそれらと比べても特別に低い。

二番目の質問は、「自分は責任がある社会の一員だと思うか」である。日本で「そう思う」と答えたのは四四・八％だった。半分に満たない。中国が一番高くて九六・五％で、各国ともだいたい八〇％から九〇％である。それらに比べれば低いのが韓国で、七四・六％なのだが、日本はそれにもほど遠い。

三番目の質問は、「将来の夢を持っているか」である。日本で「持っている」と答えたのは六〇・一％。四割は夢がない。この質問ではインドネシアが一番高くて九七％、中国九六％で、ほとんど九〇％以上である。若者は、みんな夢を持っているのが当たり前なのではないか？　いつも数値が低い韓国でさえ八二・二％である。

四番目は、「自分で国や社会を変えられると思うか」という質問である。日本で「そう思う」と答えた若者は、たったの一八・三％しかいない。ほとんどあきらめの状態だ。一番高いのはインドの八三・四％。ほかはだいたいにおいて、四捨五入して五〇％から七〇％である。ここでも低いのは韓国の三九・六％であるが、それと比べても日本は特に低い。

五番目は、「自分の国に解決したい社会課題があるか」だ。日本で「ある」と答えた若者の割合は四六・四％。半分弱である。世界ではほとんどが七〇％台。韓国でも七一・六％である。問題意識を持つという点でも、日本はひどく低い。

六番目は、「社会の課題について家族や友人と積極的に議論しているか」である。日本で「そうだ」と回答した若者は二七・二％。三分の一に満たない。一番高いのは中国の八七・七％で、だいたいの国では七〇％台である。いつも低いのは韓国だが、それでも五五％。日本の若者が、いかに何も議論していないかがわかる。

最後に、「自分の国は将来良くなると思うか」という質問である。日本では、「良くなると思う」と答えた割合は、たったの九・六％だった。逆に「悪くなると思う」が三七・九％、わからないが三二％である。「良くなる」と答えた割合は、中国が九六・二％、インドが七六・五％、インドネシアが五六・四％、ベトナムが六九・六％と、途上国は概して高い。

これに対して、先進国では、米国が三〇・二％、英国が二五・三％、ドイツが二一・一％

である。韓国も二二%だ。先進国は、どこでも閉塞感《へいそく》に見舞われているのだろう。現在の途上国は、確かに以前よりも今の方が良くなっているという実感が持てる。その延長で、将来も良くなるという自信が出てくるのだろうが、先進国では、概してそうはいかない。それにしても、日本の若者で将来が良くなると思う割合がたった九・六%なのは低過ぎないか。

逆に「悪くなる」と思う若者が三分の一ほどいるのは先進国である。それも、日本は三七・九%なので、それらを上回る。「わからない」という回答が多いのも先進国だ。これも、現状の閉塞感を表しているに違いない。中国など、「わからない」と答える若者はたった二・六%しかいないのだ。

今の若者たちは、自分が社会を変える気概に乏しく、問題をみんなで議論することもなく、将来に夢も希望も持っていない。こんな状態を作り出したのは誰か？　それは今の大人たちである。

男女混成チームの経済価値

ダイバーシティー（多様性）とインクルージョン（包摂）が大切だと言われ始めてから、もう何年ぐらいになるだろう？　まだ一〇年はたっていないが、最近では、ずいぶんと社会に浸透してきた気がする。

ことさらに「女性」の社会進出や地位向上とは言わず、ダイバーシティーとインクルージョンと言っているので、もう女性の話ではないのかと思う人もいるらしいのだが、もちろんそうではない。性別・ジェンダーも多様性の重要な一部であり続ける。

ただし、欧州ではずいぶんとジェンダーギャップは埋められてきた。もうそろそろ、ことさらに「女性」と言わなくても大丈夫になったのだろう。また、米国では、なんといっても一番困難なのが人種の問題である。「女性」に焦点を当てて地位向上を進めるのも大事だが、男性も女性も含め、相変わらず、黒人やヒスパニック系と白人との間のギャップは大きい。そこで、もっと大きくとらえて、ダイバーシティーとインクルージョンなのである。

一方、日本はといえば、欧米に比べ女性差別が根強く残っているように思う。ジェンダーギャップはまだまだ大きく、政治・経済面の多くの指数で先進国のワーストをさまよっている。だから、ダイバーシティーとインクルージョンといっても、まずは女性の話になるだろう。

ところで、私が非常に感銘を受けた報告がある。それは、日本政策投資銀行が出している『今月のトピックス No. 257』（二〇一六年四月一八日）に掲載された報告だ。「女性の活躍は企業パフォーマンスを向上させる〜特許からみたダイバーシティの経済価値への貢献度〜」という分析である。

詳細はこの論考そのものを見ていただきたいのだが、二〇一六年時点で過去二五年間に日本国内で出願・公開された特許のうち、製造業関係のおよそ一〇〇万件を分析している。それらのうち、男性のみが考え出した特許と、男女の混成チームが考え出した特許とで、その経済価値を比較してみた。すると、素材系にせよ、加工・組み立て系にせよ、ほぼすべての業種で、男女混成チームが考えた特許の方が、経済価値が高く、一五業種中一一業種で、一・二倍以上となっていたのだ。確かに、男性と女性が一緒に考えたものの方が、経済価値が高いのである。

売れる物を作ろうとすれば、買い手のことを考えねばならない。男性だけで発想するよりも、男性と女性が一緒になって、それぞれが思いつくことを混ぜ合わせていった方が、よいものが生まれるということなのだろう。「食料品」や「繊維」「医薬品」といったカテゴリーでは、まさにそうだろうと思うのだが、「ゴム」「鉄鋼」「機械」などのカテゴリーにも当てはまるのである。すべての業種について平均すると、男女混成チームによる特許の経済価値は、男性のみによるものの一・四四倍であった。

このような製造業の業種で、女性が研究開発に加わっていること自体、あまり多くはないに違いないと思われるだろう。その通りで、「食料品」では三五%、「医薬品」では二六%、「繊維」で一四%、「パルプ・紙」で一三%、「化学」で一二%だが、あとは軒並み一〇%以下だ。「ゴム」では、全体の四%にしか女性が加わっていない。それでも、そのたった四%の男女混成チームが考案した特許の経済価値は、男性のみのものの二倍以上にも達するのである。

この分析によると、男女を問わず、一人で考えるよりも、チームで考える方が、よいものができるようだ。さらに、男性のみのチームと男女混成チームとを比べると、「非鉄金属」を除くすべての業種で、男女混成チームの方が、経済価値が高かった。

ここで思い出したのだが、もう何十年も前、幼稚園で実験をしたことがあった。園児二人で一緒におもちゃの組み立てをする。男の子二人か、女の子二人か、男の子と女の子一人ずつかの組み合わせを作り、比較したところ、男の子と女の子のチームが、もっとも手際よく完成品を作ったのだった。

ダイバーシティーとインクルージョンは重要であるが、単に個人の尊重という理念の問題だけではない。多くの人が満足するものを実際に生み出す機能も備えており、集団の最大幸福の追求に寄与するようだ。

議論の技法を身につける

このごろの日本社会を見ていて気になることの一つは、人々が議論を避ける傾向にある、ということだ。まじめに議論するという文化の衰退とでも言おうか。

私の青春時代は、学生運動が衰退する直前と言えるだろうか。あのころは随分といろいろなことを議論したものだ。私より五歳も下の年代になると、もはやあのころの熱気はないのだが、それでも、いろいろなことを議論してはいる。

それに比べると、この数十年の変化ははなはだしい。若手の研究者たちや大学院生たちを家に招いてパーティーをしても、彼らどうしの間ではほとんど何も議論しない。今の社会に満足しているのではないにもかかわらず、そのような意見表明をしない。

いつのころからなのか、日本人は議論をしなくなった。そして、そのような社会的風潮とともに、「議論」ということは、誰かのやり方に「難癖をつける」ことと同じだと思われるようになったのではないか。そして、それは、和を乱す、避けるべきこととなったのである。場を共有している人々の間で波風を立てないことが随分と大事なことになってしまったようだ。

しかし、そもそも議論とは、他人のやり方に難癖をつけることではない。議論とは、考え方も立場も異なる人たちが、ある現状に対するそれぞれの意見を表明し、さまざまな対立を越えて、社会全体として、どんな解決に落ち着くのかを探る手段である。それは、文化の一つの重要な要素であろうが、それが弱くなっていると危惧している。

まともに議論を進めるには、いくつかの作法がある。まず、建設的な議論をするには、論点をはっきりさせ、枝葉を落として論理的に話さねばならない。そして、相手と異なる意見を表明するならば、それはなぜなのかを互いに明らかにせねばならない。そうして、妥協点、合意点を探るのである。

次に、このような論点における議論を、感情的対立と分離せねばならない。あんなことを言うやつは許せないというように、立場の違いが感情的対立に発展することはままあるのだが、そうしてはいけないのだ。

これは難しいことではあるが、誰でも自分の人生は大切であり、社会の一員として一生懸命働いているのは同じなのだ。そこに共感を持って、相手を完全なる「敵」とは見なさない余裕が必要なのである。

これらの議論の技法は、黙っていても誰にでも身に付くものではない。成長とともに直立二足歩行するようになるのは、人間の本性の一部だが、議論の技法はそうではない。教育と経験によって学習していかねばならないのである。

では、日本はそのような教育をし、そのような経験を積むような社会を作っているだろうか？　私は怪しいと思う。建設的で意味のある議論を行っていくためには、まずは、一人一人の個人が自分の意見を持たねばならない。自分の意見といっても、要するに「自分は何をしたいか、何があればうれしいか」ということの表明なのだ。

問題を抱えて困っている児童からの相談にも、「校則がこうだから、他の立場の人間がこうすべきだと考えているから、こうしなさい」ではなくて、「あなたは何がしたいの、何があれば満足するの？」と聞かねばならないのだ。こうして、日常生活のささいな事柄のすべてにわたって、「自分の意見」を形成することを促さねばならない。

そして、そんなことが、学校という特殊な場所のみで終わることなく、社会がそのような議論に基づいて運営されねばならない。最近は、初等中等教育でも、大学でも、ディベートをするという機会が設けられるようになった。しかし、これが学校という特殊な環境のみで行われるものであり、社会に出れば、みんな暗黙の了解のもとに意見を言わないのが一番だ、という社会ではいけないのである。

昨今、ダイバーシティー（多様性）とインクルージョン（包摂）が大事だということがよく言われるようになった。しかし、それに伴うコストを日本人はどれだけ認識しているのだろう。本当にダイバーシティーを認め、インクルージョンを実現する社会を作るためには、個人の考えどうしの相当なぶつかり合いが必須である。そのコストを負うことのできる次世代を作るのが喫緊の課題だ。

真夏の日本で考えること

日本の歴史にとって八月は、六日に広島、九日に長崎に原爆が落とされ、一五日に敗戦を受け入れ第二次世界大戦が終結したという、節目の時期である。

それにしてもこの猛暑。そんな歴史的行きがかりを考える余裕も与えてくれないほどの暑さである。

原爆投下の日も暑かったし、終戦の日も暑かったそうだ。そんな暑さの中で、原爆被害にあった人たちは、どれほど苦しかったことだろう。そこで亡くなった人々も、それを生き延びた人々も、それぞれに異なる苦しさを味わってきたに違いない。

ただし、暑さの点では、三五度から四〇度の間という今と比べれば、それほどではないはずだ。暑さというのは相対的な感覚なので、三〇度を超えれば猛暑という時代だったのだから、今の暑さは想像の外だろう。

あの夏以来、私たちは、国家間の紛争を戦争という手段によって解決するという選択肢を捨て去ろうとしてきた。原子力を兵器に使うのも、絶対にやめようと決意してきたはずだ。あれから七八年。全世界的な戦争は起こっていないし、地域紛争においても原爆が使われたことはない。ところが、ロシアによるウクライナ侵略の戦争を前に、その決意が今後も本当に踏襲されていくのか、迷いを感じるこのごろである。

いつまでたっても国家間の利害対立はなくならず、社会情勢は刻々と変化する。そうであっても、第二次世界大戦をもって世界中の国を巻き込む戦争状態は最後とし二度と起こさない、という決意は踏襲されるべきだし、原子力兵器を使わないという暗黙の了解も、守られねばならない。

どの国も、戦争という手段が使われたときにはどれほどのコストがかかるのか、よく認識しているはずだ。そして、戦争が長らく起こらない事態が続くほど、国民は自分自身を戦争の犠牲にしようという意識が薄くなるはずだ。だから、すべての国が戦争を回避するように動くはずなのである。

しかし、今回のロシアの行動でわかる通り、いったん戦争という手段をとると決めた国が行動を起こせば、攻められた方は黙ってはいられない。そして、戦争が始まる。そこでは、ただ「やめろ」という言葉はむなしく響き、効果はない。

それでも日本は、唯一の被爆国として、戦争と原子力兵器の使用に対して、断固として反対する態度を堅持すべきである。

一方で、そのような「被害者意識」の大義のもと、大戦中に日本がアジア諸国で行ってきた悪事の数々が伝承されず、忘れ去られているようなのも困ったことだ。朝鮮半島や中国大陸、インドシナ半島やフィリピンなどで日本という国家が行った政策と、その実現を担った日本人がどんな行動をとり、どんな態度でいたのか、これもしっかりと事実を見つめ、反省とともにそれを後世に伝え、それらの地域の人々の心の修復を真剣に考えるべきである。

話は変わって、甲子園の高校野球である。今夏の試合では、高温による熱中症患者が続出したということだ。夏に高校野球の試合をするというのを、そろそろ変えるべきではないか。

それを言えば、オリンピック・パラリンピックも夏にやることになっている。この前の東京大会は、新型コロナウイルス感染症の蔓延《まんえん》によって通常の開催を見送ったが、ここ何年もの地球の温度を考え、これが早急に元に戻ることは考えにくいのであれば、夏に開催すべきではないのだろう。

花火大会という、日本の夏の行事もある。多くは各自治体が主催である。七月下旬から八月中旬にかけて行われることが多いが、昨今の猛暑では、まだまだ暑い。いかに夜だといっても、とても浴衣にうちわなどで対処できる暑さではないのが現状だ。夏祭り、納涼という行事も、今の暦では合わなくなっている。

そして、雑踏と交通渋滞。最近は、有料席を大幅に増やすことによって見物客の数を制御しようとしているところが多いようだが、それで十分とは言えないようである。

世の中には、何が変わっても守り続けるべきことと、臨機応変に変えていくべきことがある。さまざまな事態がある中、それらをどちらに振り分けるべきなのか？　それを決めるのは難しいが、そこにはゆるぎない価値観が必須である。

タテ社会でイノベーションは生まれるのか

いろいろなところで、新しいイノベーションの創出やテクノロジーの進展が望まれている。これらに対する大学への期待も大きく、イノベーション創出で日本経済に貢献することが求められるとともに、それによって大学自身が自分で稼いで運営できるようにせよ、という声が大きい。そして、日本の大学の少なくとも一部は、欧米の一流大学並みになることが期待されている。

確かに今の日本社会の状況は閉塞感に満ちている。物価は上がるが給料は上がらず、いつのまにか、ずいぶんと質素な国になってしまった。そして、現状を打破しようとする力があまり感じられない。

日本財団が行っている「一八歳意識調査」の二〇一九年版によると、日本の一八歳前後の若者たちは、世界の他の国々の若者に比べて、将来に夢を持っている割合が低く、解決したい社会課題を持っている割合も低く、将来世の中が良くなると思っている割合も低い。夢を持っている若者は六割で、四割は夢がないのだ。解決したい課題を持っている若者は半分弱。半分強は現状維持なのか、あきらめなのか。将来がよくなると思っている若者の割合に至っては一割未満に過ぎない。これまでに大人が作り上げてきた日本社会が、若者をこんな気持ちにさせているのである。

ジェンダーギャップを見ても、日本は世界の中で大変に遅れている。国会議員、企業の管理職や執行役員、大学の学部長、学長など、組織で意思決定を担う立場にある女性の割合は、世界の多くの国々よりも「ダントツ」に低い。「ダントツ」という言葉は、突出して優れているときに使うもので、低い場合には使えないと言われたことがあるが、私には、日本の女性の地位の遅れの表現として、「ダントツ」に低いというのが一番しっくりくる。日本でも、いろいろな指標が上昇していることは事実なのだが、その変化があまりにも遅いので、世界の他の国々の改善状況に追いついていけず、どんどん順位が下がる。

そこで、冒頭の新たなイノベーション創出である。シリコンバレーのような起業風土を作ろうなどとも言われるが、それは無理ではないか。あれほど自由で、流動的で、失敗も成功も劇的で、資金の投入も引き上げも目まぐるしく、国籍も性別も関係ない場所は、世界中を見ても稀だ。

それはともかく、なぜ日本の状況は閉塞的で変われないのだろう。現状が変わらない、現状を打破できない、という雰囲気の中でイノベーションは生まれにくいに違いない。また、イノベーション創出とは別に、社会のあり方として、昨今はダイバーシティー（多様性）とインクルージョン（包摂）が大切だと言われ始めている。しかし、新しい考えやイノベーションが生まれてくる素地として、人々の多様性が重んじられていることは重要なので、これらの事柄は関連している。ところが、日本の社会は、そもそもダイバーシティーともインクルージョンともほど遠い考え方に無意識に基づいて動かされているのではないだろうか？

二〇二一年に亡くなられた社会人類学者の中根千枝氏の有名な著書に『タテ社会の人間関係』というのがあった。日本は、一緒に働いている集団などの「場」に対する所属が重要で、その内部では、先にそこに入った順番の「先輩・後輩」関係がある。この序列がもっとも大切で、個人の資質や資格よりも序列の方が重視される。場の全体は、合理的目的というよりは、一体感などの感情的絆で結ばれている。所属する場以外の人々に対しては壁が高く、「ウチ」と「ソト」の区別が厳重なので、横のつながりができにくい。こんな集団だから閉鎖的で、そこからの出入りの自由度は低い。リーダーは、場の雰囲気を重視せねばならないので、リーダーシップはあまり発揮できない。小集団は別の小集団との間の序列によって数珠繋《じゅず》ぎになっていく、などなど。

まさに日本の社会の本質を突いた分析である。あの本の出版から五〇年以上たった現在でも、日本社会の無意識レベルでの成り立ちは同じなのではないか、こんな原理で動いているタテ社会では、多様性と包摂という概念は、ほとんど入り込めないのではないかと案じるのだ。中根氏も述べている通り、このようなタテ社会は、戦後の高度成長時代のように、全員が同じ方向に変わり、同じ方向を向いて働くときには有利だった。しかし、世界は様変わりし、日本を取り巻く状況はずいぶんと変わった。

学問研究に携わる学者という人々の間でも、このようなタテ社会の構造は同じなのだろうか？　そういうところも大いにあるとは思うが、学術の世界は少し違う気もする。が、一般の人々からすれば、「学者」というのは、自分たちとは関係のない「ソトの」集団だ。だから学術界に対する尊敬やシンパシーはそれほどない。学者たちは、学者集団の中で勝手に研究をしている。その学者集団の中には、旧帝大を頂点とする序列がある。そういう学者集団どうしが数珠繋ぎに大きな序列を作ってまとまっているだけだから、産業界などとの連携も融合も難しい……。と、もしもこのような構造があって、長らくそれが続いてきたのだとすれば、これはやはり、流動性も多様性も包摂も、そしてイノベーション創出も難しくなるのではないか。

日本文化の暗黙知

もうずいぶん前のことになるが、ある大手新聞の広告欄に、「言葉は無力だ」というコピーがあった。私は、長らく欧米人と付き合う中で、言葉こそが重要だと思っていたし、自分で本や記事を書くことも多いので、このコピーには非常に大きな違和感を抱いた。この文字に続いて、だから何が無力ではなくて重要だとそこで主張されていたのか、残念ながらそれは覚えていない。ところで、日本人は、本当に言葉は無力だと思っているのだろうか?

このコピーは、ずっと私の記憶に残っており、以後も心の隅で考え続けている。私は日本人であっても、日本文化の本質などに関する専門家ではないし、そのような研究書をたくさん読んでいるわけでもない。だから、個人的な感想に過ぎないのだが、もしかすると、日本文化というのは、いろいろな事柄を明確に言葉にして表し、言葉どうしをぶつけ合って議論することをしないのかもしれない。「しない」ことはないのだが、あまり推奨はしないし、そのように明確に言葉にして議論することを重んじないのかもしれない、と思っている。

さまざまな日常的な会話の中で、ある事柄の感想や意見が述べられたとき、「あなたはどうしてそう考えるのか?」という問いを発して、互いにその理由を突き詰め合うということは、あまり普通ではないように思うのである。誰もが、積極的にそういうことは「しない」と考えた上で、議論を避けているわけではなく、ただ、それが普通の状態になっているのだ。欧米の社会と比べると、そうだと感じる。もちろん、欧米が優れているわけではないが、日常的な議論のあり方のレベルには違いがあると思う。

それでは、日本文化で重要な役割を果たしてきたのは何なのかというと、それは暗黙知ではないか、というのが私の感想だ。古くからの日本の伝統芸能や仏教の修業では、師は直接には教えない、弟子が師の生き方を見ながら学ぶ、というのが基本であった。仕事を学ぶ際に、新参者は部屋の掃除などの下位の仕事を割り当てられ、ひたすらそれをしながら仕事場の雰囲気を身につけるというのも同じだろう。明確に言語化したものを伝達するのではなく、個人の中で暗黙知が形成されるのを待つということだ。

日本文化は、人間と自然を一体ととらえており、自然を人間と対立するもの、征服するべきものとは考えていないとは、よく言われることだ。もしこれが本当だとすると、なぜ、戦後の復興から高度成長の時代に、あれほど簡単に裏山を切り崩してゴルフ場などにしてしまったのか、というのは、私の長年の疑問であった。今思えば、「日本人が、人間と自然を一体と考え、自然を征服するべきものとは考えていなかった」というのは、日本人が伝統的にそのような暮らしをしてきた、という描写なのだと思う。そのような暮らしのあり方を、哲学的に明確に言語化したことはなく、そのような暮らしを日々送る中で、暗黙知としてみんなに共有されていたものなのではないか。

ところが、二〇世紀後半からの暮らしと経済は劇的に変化した。貨幣経済での価値が明確に示され、裏山をゴルフ場にすればいくら儲かるという話が明確に語られる。そうすると、明確な価値の表示の前に、暗黙知は、はかなくも消え去っていったのではないか。

昨今は、企業の社会的責任ということがよく語られる。しかし、日本には昔から、商売は「売り手よし、買い手よし、世間よし」の三方よし、の考えがあったではないか。この場合は、明確な言葉にされてもいたのだけれど、新自由主義的な経営手法が入ってくると、すっかり影を潜めてしまった。今また、それが見直されている。

言葉を操ることに関することわざ、警句などは、どの世界にもいくつもある。「巧言令色《こうげんれいしょく》鮮《すくな》し仁《じん》」というのもその一つだが、これは、いろいろな事柄について議論することがよくないと言っているものではない。「美辞麗句を連ね、人に取り入ろうと表情を作る人には、仁を持ち合わせない人が多い」と言っているのだ。

西洋には、「雄弁は銀、沈黙は金」という言い回しがある。これは一九世紀英国の歴史家、思想家であったトーマス・カーライルの言葉だそうだが、これも、議論しない方がよいと言っているのではない。「ときには、雄弁に語るよりも黙っていた方がよいこともある。それをきちんと理解せよ」ということらしい。

なぜこんなことを考えているかというと、最近の若い人たちがあまり議論をしない、または、上手に議論をしないように思うからだ。議論は喧嘩ではない。議論の目的は、双方の考えの根拠を明らかにし、何が問題で、どうしたらみんなが納得する点を見つけることができるかを探ることにある。違いを違いとして互いに認めることでもある。ダイバーシティーとインクルージョンとは、それぞれに立場も価値観も異なる人々が、どうやって最大幸福をめざして協力できるかを探る道を開こう、ということだ。暗黙知が重要な役割を果たしてきた日本文化の良さはたくさんあるのだが、明確に言語化して議論しながら事を進める術を、私たちは醸成せねばならないと思うのである。

役に立つとはどういうことか

しばらく前、「役に立つとはどういうことか」という題目で、何人かの人たちと議論をしたことがあった。そんなことが話題になった理由は、昨今の科学技術政策において、「役に立つ」ことがおおいに求められているからだ。しかも、新たなイノベーションを生み出し、日本経済を牽引する力として科学技術に期待する、大学はその源泉になるべきだ、というような文脈で語られる。そうすると、「役に立つ」とは何を指しているのだろう?

もちろん、そのような文脈で語られる「役に立つ」とは、今すぐにでも日本経済の発展を推進することに役立つイノベーションなのだろう。数十年前、教養部が次々と廃止されていったころを思い出す。各大学の卒業生は、「即戦力」として社会に役立つことが求められていた。だからホメロスやら源氏物語やら、なんの役に立つのかわからないことを教えている教養部は、もうやめようということになった。

ところが、である。昨今の議論を聞いていると、本当に役に立つ人材を育てるには、教養のある人物を育てねばならないというように議論がシフトしているようだ。今や、誰もが、教養の廃止を主張しているわけではないようだ。

私が思うに、「役に立つ」という指標にはいくつかの軸がある。まずは、「誰にとって」役に立つのか？　学んだその人個人にとってなのか、その人の働きを通じて社会全体なのか。その社会というものも、国家なのか、地方自治体なのか、地球の全人類なのか。次に、「いつ」役に立つのか？　今すぐなのか、もっとずっと遠い未来なのか、という時間軸の問題がある。最後に、「どんな意味で」役に立つのか？　その人が人生をより良く生きていけるという意味なのか、そのような人たちの活動が経済成長に貢献するという意味なのか、より公正な社会を築くという意味なのか、人類全体の持つ知識を増やすという意味なのか。それを言えば、この三つも独立ではなくて、互いに関連しているだろう。学んだその人にとって、いつ、どんな意味で、役に立つと言えるのか、というように。

こう考えると、これまでの政府の提言その他で言われているような、「今すぐに、国家の経済成長のために役に立つ」という文脈での意味合いは、「役に立つ」という事象が包含するさまざまな事態のうちのほんの一部に過ぎないことがわかる。では、なぜ、こんな一部に過ぎない「役に立つ」ことだけが強調されるのだろう？

それは、日本に余裕がなくなったからなのではないか。思い返せば、人類が農耕や牧畜を始め、財産と呼べるものを蓄積するようになったのは、最終氷期が終わり、環境がよくなって余裕ができたからだった。その後の文明の発展により、西洋でも東洋でも、一部の人が多くの財産を蓄積して余裕を持ったため、そのような裕福な人々が学問や芸術に資源を投入できるようになったからこそ、さまざまな文化が花開いたのではないか。日本も、以前はそのような余裕を持っていたように思うが、今や世界経済の中でかなり取り残され、日本人の生活もずいぶんとつつましくなってしまったようだ。

本当に資源の蓄積がなくて余裕が何もないのかどうなのかはわからない。しかし、多くの人々が、「余裕がない」と思い込み、そのように行動しているのは事実だろう。だとすると、日本は、とても切羽詰まった状況で、即効的な起死回生を求めているのだろう。しかし、それは可能だろうか？

さらに、このコロナ禍で、昨今の日本をみていると、物事に付随するリスクを事細かに査定し、極力リスク回避を求める一方、その事態がもたらす利益・ベネフィットについては何も考慮していないように思える。たとえば、花火大会でも入学式でもなんでもよい。人々が集まって一緒に楽しく時を過ごすというイベントだ。それによってコロナの感染クラスターが発生する可能性のリスクだけを事細かに査定する一方、そのようなイベントによって人々が得る利益——それは個人の心の平安から社会的ネットワーク形成まで、いろいろあるだろう——については一顧だにされなかったように思う。

行動決定には、リスクとベネフィットの双方を考慮し、その差がもっとも大きいところに収束するというのが、行動科学の一つの仮説だ。そこでベネフィットを考慮しないのであれば、リスクの査定だけで物事の成り行きが決まることになる。そうなると、ある程度のリスクがある場合にはすべて何もしない、という選択になるだろう。

こんな心理状態の文化に、新たなイノベーションなどできるのだろうか？　新たな考えで起業することにも、まだ誰も考えていないような方法で何かを作ることを提案するにも、リスクはおおいにつきまとう。それらに対し、リスクの査定だけをしていれば、実行できるわけがない。イノベーションを促進するには、当面のリスクを冒してまでそこにのめり込む体制が必要である。「役に立つ」ことを求めることと、リスク回避の心情と、今の日本の議論にはまだまだ尽くされていない問題があると思うのである。

第三章　国際社会と日本の政治

この混沌とした時代に

この章では、日本以外の世界で起こっていることについても考察した。国際社会がこれほどグローバルに大きくなってしまうと、ヒトはそれを本当にコントロールすることはできないのではないか。それを言えば、現在の米国や日本なども規模が大きすぎて、誰もが気楽に政治に参加できるものではない。一つの国家というのも、ヒトが心地よく自分のこととしてかかわっていける限界を超えているのだろう。

地球環境問題にどう対処するか、世界から本当に戦争をなくせるのかどうか、昨今は、机上の空論ではなく、具体的で身近な危機としてとらえ、それを解決する努力を実行せねばならなくなってきた。最近の猛暑や豪雨や洪水などの異常気象は、もはや無視して過ごすことはできない。そして、まさかのウクライナでの戦争である。では、そんな事態になり得る危険を、誰一人知らなかったのかと言えば、そんなことはない。ただ、多くの人が耳を貸さなかったのだ。

では、なぜ、ヒトという動物はこんなにも脳が大きくて多くの難問について考えられるのに、これらの危機の予測を無視してきたのか、そんなことも考えてみた。

米議事堂襲撃事件が連想させるもの

うちには薪《まき》ストーブがあるのだが、それで火をたくにはコツがいる。大きな薪を積み、その上に小さな枝を置いて、着火剤で火をつければ簡単なのだが、火を維持するのが難しい。

めらめらと勢いよく燃えていると思って油断すると、いつのまにかほとんど消えそうになっている。そんなとき、燃え残っている薪の黒い表面の下に、かすかに赤いきらめきがちらちらと見えればなんとかなる。そこに風を送り続けると、やがて、不意にまた大きな炎がよみがえるのだ。

いつどこでこの大きな炎が再燃するのかは、予測がつかない。それでも、その炎のもとは、黒い静かな表面の下で、ふつふつとひそかに燃えていたのである。

この炎を見ながら考えていたのは、二〇二一年一月六日にアメリカ合衆国の連邦議会議事堂が襲撃された事件だ。二〇二〇年の大統領選挙で、トランプ氏は負けたのだが、彼は、選挙が行われている最中からずっと、大規模な不正が行われていると、根拠もなく主張し続けた。いくつもの訴訟を起こし、負けても負けてもその意見を変えず、ソーシャルメディアで主張し続けた。

トランプ氏のコアなファンという人々がいて、彼らは、事実を吟味することをせず、ほかの人々の意見には耳もかさず、つねにトランプ氏が正しいと信じている。私は、トランプ氏は、そういう人たちをあえて扇動したと思うし、共和党の議員たちの多くが、最後の最後になるまで、その動きを是正しようとしなかったことは、大変にまずい対応だったと思う。

そして、選挙結果を議会で最終的に決める一月六日、トランプ氏の熱狂的支持者による議事堂襲撃が起こる。私は、この事件に、黒い燃え残りの薪に、一瞬の大きな炎のひらめきが起こったときと似たものを感じた。炎を導くことになった最終的なきっかけが何だったのか、それはわからない。それでも、そこへと続く温床はずっと存在したのだ。

ワシントンの議事堂襲撃を聞いて私が連想したのは、一七八九年七月一四日、フランス革命の発端となったバスチーユ監獄襲撃である。状況も原因も異なるが、なぜか心に浮かんだ。

バスチーユに集まった民衆は、もとはと言えば、そこに集積されているはずの弾薬をよこせと要求しに行ったのであり、監獄を襲撃するつもりではなかった。しかし、弾薬の引き渡しを拒否されたあとのいくつかの小競り合いの末、六〇〇から八〇〇人がなだれ込んで、中にいたほんの数人の囚人たちを解放した。

さらに連想するのは、日本の第一次安保闘争の一九六〇年六月一五日、学生活動家たちが、衆議院の通用門から中になだれ込んだ事件である。警官隊との衝突になり、東大生の樺《かんば》美智子さんが亡くなった。この事件は、背景などは異なるが、国会を襲ったという点では、今回のアメリカの議事堂襲撃事件と似ている。

女子大生は警官による暴力で亡くなったのか、あの場のどさくさで踏み殺されたのか、という議論が長く続いたのは私も知っている。が、学生たちの行動に対する当時の論評はどうだったのだろう? 国会乱入は暴力行為であり、暴力はいけないという点では、新聞社などの意見も一致していたらしいが、国会に乱入するのは民主主義に対する冒瀆《ぼうとく》である、という認識はどれだけ強かったのだろう？

バスチーユ監獄の襲撃はその後、一連の事件を経て、フランス革命という大きな「ハレの」変革の発端となった。民衆が暴徒と化して違法な暴力行為を行ったのは事実だが、後世は単純にそうとは断じていない。

日本の当時の安保闘争は、今ではおおかた過去のものになってしまった。いろいろな面での反対意見は根強く残るものの、日米同盟は維持されている。暴力を伴う学生運動など、もう存在しないも同然だ。

今回、アメリカの議事堂に乱入した人々は、多くのアメリカ国民の賛同を得ることはできず、かえって、トランプ氏からの離反を加速させた。

いつ、どこでどのように炎が燃えあがるのか、予測がつかないとともに、その炎が最終的に燃え広がるのか、消されるのかも、あとにならなければわからない。炎になる前からふつふつと下にたぎっている人々の思いをどのようにくみ取り、よい方向に制御できるのかが問題なのだろう。

リスクへの感受性の鈍さ

先日起きた熱海の土石流による被害は、本当に甚大なものであった。被害にあった方々に対し、衷心より哀悼の意を表したい。

それにしても、今回の土石流で崩れた盛り土の事業に対しては、その違法性について行政側から何度も警告があったらしい。それでも何もできなかったのか?

そもそも、このごろは毎年のように大雨、洪水、土砂崩れの災害が多発している。それはみな、気候変動のせいだ。人間がエネルギーを使いまくり、自然界の炭素をはじめとするさまざまな元素の自然循環を乱し、この地球環境を短期間で激変させている。その一つの表れが異常気象だ。

大気中の二酸化炭素濃度は、長きにわたって三〇〇ppm前後であったが、産業革命以後、徐々に増え続けてきた。一八九六年、物理化学の創始者とも言われるスウェーデンの科学者アレニウスが、二酸化炭素は温室効果をもたらすので、その大気中での量が地球の気温に大きな影響を与えるだろうと指摘した。このころから事実認識はされていた。そして、大気中の二酸化炭素濃度の測定も以前から行われていた。それでも誰もこのことを真剣には受け止めなかった。

これまでの何百万年の単位で見て、四〇〇ppmを超えたことはなかったのに、ハワイでそれを超えたのが二〇一三年。国連のSDGs（持続可能な開発目標）が採択されたのが二〇一五年。ちょっと遅過ぎないか？

日本の少子化問題も同じではないかと思う。戦後、復員してきた男性が結婚し、平和になったことで人々は歓喜した。人口がどんどん増えて、政府は人口爆発を危惧した。そこで、夫婦に子ども二人を基準とする住宅の設計や、ブラジルなどへの移民政策を打ち出し、人口増加を抑えようとした。それはすぐに効果を表し、出生率はどんどん低下する。そして、一九七〇年代以降、女性が一生の間に産む子どもの数は、二を多少上回る程度から、多少下回る程度へと漸減していく。

このままだと人口減少に転じるということは、誰の目にも明らかだった。同時に、都市部の人口は増えても、地方の農村部での人口が減り続けていることは明らかだった。しかし、限界集落という言葉が流布するようになった二〇〇四年まで、地方創生などというキャッチフレーズはなかった。

高度経済成長期はもちろん、そのあともずっと、日本の国民総生産は上昇し、みんなが豊かになっていると実感していた。だから、その先にある深刻な人口減少と地方の凋落《ちょうらく》には、誰も注意を払わなかったのだろう。

どうも、ヒトという生物は、リスクに対する感受性が鈍いようなのだ。今、それほど困っているわけではないならば、現状がそのままであり続けるのが心地よい。そう願ってやまないので、現実を見る目が鈍る。私もそうだが、首都直下型地震が、そう遠くない未来にやってくると言われても、だから何かをしようという気にはなかなかならないし、引っ越しもしない。

そして、多くの人々が現状維持でいいと思っているとき、どこかにそのひずみがあっても、それは見過ごされてしまう。

みんなが会議室で議論しているところに、どこからともなく煙が漂ってくる。煙はだんだん濃くなる一方だ。会議中の人々はどうするか？　なんと、何もしないのである。

これは心理学の実験だ。人が、目の前にあるリスクにいかに目をつぶるか、リスクを認識しようとしないか、を示す実験で、動画投稿サイトＹｏｕＴｕｂｅでも見ることができる。実に恐ろしい。

どこかで読んだのだが、古代中国の哲学者である老子の言葉に、「物事を種のうちに見抜くことができる人は、それは天才というものだ」というのがある。それはその通りに違いない。

しかし、天才がそのような指摘をしても、周囲の大多数は天才ではないので、その指摘を無視する。かくして大変な事態が起きる。そこで初めて、普通の人々は考え直すのだ。

「煙探知器の原則」というのもある。来る、来ると言われていた危機が現実に起こらないことが数度続くと、それは煙探知器の誤作動だと無視されるようになる。いつかは本当の危機が訪れる。が、その時も誰もが無視して動かない。

地球環境の危機とＣＯＰ26

国連気候変動枠組み条約の第二六回締約国会議であるＣＯＰ26が終了した。二〇二一年一〇月三一日から一一月一三日まで、英国のグラスゴーで開かれた。ＣＯＰという会議は、国連が提案するいろいろな条約の締約国会議のことである。条約の中身を実行に移すために、各国が話し合う場だ。

気候変動に関する国連の枠組み条約は一九九二年にリオデジャネイロで開催された、環境と開発に関する国連の会議で提出された。それには一五五カ国が署名した。もう三〇年近くも前の話である。その後、その締約国会議が毎年開催され、いろいろなことが決められてきたが、温暖化は止まらず、成果には疑問が多い。

一九九七年に京都で行われたのがCOP3で、その時に京都議定書が採択された。二酸化炭素などの排出による深刻な影響を何とかしなければと、いよいよ世界が腰を上げた。温室効果ガスを、二〇〇八年から二〇一二年の間に、一九九〇年比で約五%削減することが決められたのである。これに基づいて、各国が独自の目標を設定し、欧州連合は八%、米国は七%、そして日本は六%の削減を約束した。

ところで、京都議定書では、削減の対象となっているのは先進国だけで、途上国に義務は課せられなかった。それは、これまで温室効果ガスを排出してきた責任の大部分は先進国にあるのだから、まずは先進国から、という理由であった。

しかし、そんなことでこの条約の目指すところの効果が出るのか、当初から大きな疑問がもたれ、また不満の原因ともなっていた。ちなみに日本は、二〇〇八年から二〇一二年の間に一九九〇年比で六%削減するという目標は達成できた。

紆余《うよ》曲折はあったが、それでも世界中の締約国が何とか議論を続け、二〇一五年のCOP21では、パリ協定が結ばれることになる。このパリ協定では、世界の平均気温の上昇を、産業革命以前に比べて二度よりも十分低く抑え、一・五度ぐらいに抑える努力をすることが決められた。このときは、加盟している一九六カ国・地域すべてが参加し、米国と中国も同時に批准した。

実行に移すには、できるだけ早く、世界の温室効果ガスの排出を減らす方向に持っていかねばならない。ところが、トランプ氏が米国の大統領になると、パリ協定からの離脱を宣言し、二〇二〇年には離脱してしまった。が、二〇二一年に大統領に就任したバイデン氏は再び復帰。そして、今回のCOP26では、はっきりと世界の平均気温の上昇を一・五度以内に抑えることを追求する、と決まった。これは大きな成果だ。

気候変動対策は二酸化炭素だけではない。メタンも重要だ。今回は、メタン排出量を二〇三〇年までに二〇二〇年比で三〇％削減することに対し、一〇〇カ国以上が署名した。

森林破壊については、これももう五〇年ほどにわたって警鐘が鳴らされてきた。それがとうとう、ブラジル、インドネシア、コンゴ民主共和国、カナダ、ロシア、米国などが、森林破壊を三〇年までに終わらせるという案に署名した。

国連の統計によると、地球上の森林は、一九九〇年から二〇二〇年までの三〇年間で、一億七八〇〇万ヘクタールが失われた。年間の森林の消失は、一九九〇年から徐々に少なくなってきている。それでも、森林が消えていることには変わりはない。

今回、生態系にとって重要な熱帯林を抱えるブラジル、インドネシア、コンゴなどが二〇三〇年までに伐採をやめると言い切ったのはすごい。本当に実行できるのかどうかが問題だが。

途上国の温室効果ガスの排出は年々増加しており、筆頭は中国とインドだ。そのインドが二〇七〇年までに排出のネットゼロ（実質ゼロ）を達成すると表明した。今世紀中の気温上昇を一・五度以内に抑えるには、二〇五〇年までに排出ゼロを達成せねばならないので、二〇七〇年は遅いのだが、とりあえずの決意表明は歓迎である。

ところで、日本では、これらの問題はどれほど認識されているのだろう？　環境保全と経済は対立するものではない。世界は、地球環境を守ることを大目標に、それを経済発展の糧《かて》にしようと発想転換している。地球環境の危機は、一刻も早く解決へと向かわねばならない緊急事態なのだ。

先日の衆議院選挙で環境がまったく争点にならなかったという日本の状況が、私には不可解なのである。

種の絶滅の危険性を想像する

二〇二二年になった。私が生まれた一九五二年は、サンフランシスコ講和条約が発効し、日本が米国の占領から独立した年であった。私の小さいころには、白い衣を着た傷痍《しょうい》軍人という人たちがいて、まだ戦争の名残《なごり》が見られた。

そこから先は、高度経済成長の時代だ。印象深いのは一九六四年の東京オリンピックである。明日は、来年は、今日よりも絶対に良くなると、みんなが信じていられた時代だった。しかし、一方で政治的イデオロギー闘争がさかんだった。それもこれも、誰もが、よりよい世界が来ることを信じていたからだったのだろう。

一九七二年、私は大学に進学した。六〇年代からの学園紛争は終わったが、まだ「闘争」は続いていた。学生たちは一般に政治的な動きからは遠ざかりつつあったが、内ゲバや過激派の一部によるテロ活動が続いた。

一九八〇年、私は夫とともに国際協力事業団（現国際協力機構＝ＪＩＣＡ）の派遣専門家として、アフリカのタンザニアに赴いた。野生チンパンジーのための国立公園建設の計画で、そのときの調査データが私たちの博士論文になった。帰国したのが一九八二年である。

途上国というのがどんな状態であるのか、文化の違いとは何か、などについてさんざん考えさせられた二年間であった。その後、英国のケンブリッジ大学で研究したり、米国のエール大学で教えたりした。そこに一九八九年のベルリンの壁崩壊があり、それに続くソヴィエト連邦の解体がある。

当時、英国の友人たちともよく話したが、私たちが生きている間に、米ソの対立が終わるなどとは、そのころはとても考えつかなかった。でも、それは実際に起こったのだ。

共産主義か自由主義かという思想の対立が終わった以後の世界で、もっとも重要な課題となるのは地球環境問題だ、という風潮になった。「環境と開発に関するリオデジャネイロ宣言」が出された地球サミットが一九九二年だった。しかし、人類は地球環境を破壊し過ぎている、このままでは危ない、という警告は、それよりもずっと以前からなされていた。誰も聞く耳を持たなかっただけのことだ。

最近やっと、国連が持続可能な世界を築くための目標であるＳＤＧｓを公表し、全世界的に取り入れられるようになった。二〇二一年、気候変動枠組み条約の締約国会議であるＣＯＰ26では、二〇五〇年までに全世界の二酸化炭素排出をゼロにする、熱帯降雨林の伐採をゼロにする、などという「喜ばしい」目標が採択された。それを実現するために、世界各国は政策を練らざるを得ない。今後もこの潮流は変わらないだろう。

これで二酸化炭素の排出を抑えようということは、全世界で合意された。しかし、環境危機はそれだけではない。地味だが非常に重要なのが、種の絶滅である。

世界中で開発が行われ、人々がより快適な生活を送れるように環境が改変されていく中、たくさんの種が絶滅している。でも、その危険性については、まだ一般社会では重要視されていない。見知らぬ虫やら植物やらがいなくなっても、その場ではなんの実害も感じられないのは事実だ。

実害が感じられるようになったときは、私たち人類も含めて全員がおしまいだ、ということなのだが、それを想像するのは難しい。

名も知らぬクモやコケが絶滅してもそれが何だと言うのか。しかし、そうやって種の絶滅を続けていくと、自然界のバランスは、あるところでがらっと変わる。

私たちは、地質学的時代としてはとても短い間に、もうすでに莫大《ばくだい》な数の種を絶滅させてしまった。環境の変化とともに種が絶滅するのは、いずれにせよ自然現象だという意見もあるが、それは絶滅の速度を勘定に入れていない。近年のヒトによる他種の絶滅速度は、一日当たりで一〇〇種を超え、一年間では四万種が消えている。こんなことは今までにはなかった。

先の見えない時代だとは、よく言われる。しかし、今がとくに先が見えないわけではない。何をしなければ世界がだめになるのかは、もう事実としては明らかだ。あとは、どういう世界を作るかを決め、それに向かって困難を一つずつつぶしていく決意が必要なだけなのではないか。「先の見えない時代」という合言葉のもと、決断を先送りにするのはやめにしよう。

攻撃性の進化と戦争の条件

ロシアによるウクライナへの侵攻があり、世界はすっかり変わってしまった。二一世紀のこの世の中で、こんなにもあからさまな軍事的侵略行為が起こるとは、私はまったく考えていなかったが、皆さんはどうか。

今回、何を書こうかと考えてはいたのだが、こんな出来事の前には、アカデミックな話題など吹き飛んでしまいそうだ。同じような感覚は、二〇一一年三月一一日、あの地震と津波、そして福島の原発事故が起こった時にも感じた。昆虫の神経生理学が専門の同僚と、こんな時に研究なんか続けていてもいいのかと話したことを覚えている。

私は、現代政治や戦争のパワーバランスの専門家ではない。だから現在進行形でこの事態がこれからどう展開するのかについては、ただただニュースを見て解説を聞くだけである。

しかし、私は自然人類学者だ。ヒトという生物の本性について研究している学者である。この際、私が何か言えるとすれば、ヒトにおける攻撃性の進化と、集団間の戦争が起こる条件についてだろう。

振り返れば、一九六〇年代から七〇年代にかけて一般的に問われていたのは、「ヒトという生物は本能的に戦争するようにできているのか」ということだった。戦争とは、同種の個体が集団間で行う、致命的な攻撃行動である。第二次世界大戦の悪夢はまだ記憶に新しく、それに続く冷戦で、いつ核のボタンが押されるかという緊張があった時代だ。

その中で、アフリカに生息する野生チンパンジーの研究を行っていたジェーン・グドール氏が、チンパンジーたちが集団同士で殺し合うことを報告した。チンパンジーは、私たちヒトにもっとも近縁な生物である。私たちは、このような同種個体間に起こる攻撃的性質を、生物として受け継いでいるのだろうか?

これは、本質的に問いの立て方が間違っていたのだと思う。攻撃、とりわけ同種個体間での致死的な攻撃性が、生物として本能的に備わっている、ということはない。そうではなくて、生物は誰であれ、自分自身を取り巻く環境の中で、利害が対立する同種の他者と戦わねばならない状況がつねにある。そういう時に、攻撃行動をどこまでエスカレートさせるのかは、相手がどう出るのかという、相手の戦略に依存するのだ。これは、ゲーム理論的状況である。

ゲーム理論とは、自分と相手との間に、ある状況において取り得る行動選択肢がいくつかあり、自分が一つの選択肢を取り、相手もまた一つの選択肢を選んだ時、双方の利益と損失がどうなるかを分析する理論である。例えば、「とことん攻撃」という選択肢もあれば、「いい加減で引く」という選択肢もある。どちらにも、それぞれの戦略を取り、相手がどちらかの戦略を取った場合の利益と損失がある。自分が「とことん攻撃」戦略を採用し、相手が「いい加減で引く」戦略を取ってくれれば、それは自分が勝つだろう。しかし、相手も「とことん攻撃」戦略を取るのであれば、双方の損失は増加の一途をたどる。こんなことなら、「いい加減で引く」戦略を取っていた方がましだ。では、どこに落ち着くか。

こうして、高い攻撃性が備わった動物であれば仲間に対しても攻撃が起こり、そうでなければ攻撃はない、といったシナリオは無効であることがわかった。生存のためには、誰でも攻撃性を備えているのだが、それがどのように表出されるのかは、社会関係の状況によるのである。

さらに、戦争という問題になると、個人対個人の攻撃の話ではなく、集団対集団の攻撃の話である。集団が、自分たちの集団としてのアイデンティティーを持ち、その内部で結束して、他の集団と対決するのである。これができるにはかなりの認知能力が必要だし、そんな攻撃が有利になるような事態も、動物界でそれほどあることではない。

ヒトにおける戦争が、「ヒトに生物学的に備わっている本能的性質によるものなのか」という問いは無意味だ。集団間にどのような利害対立があるのか、それを解決するためにどれほどの攻撃を用意するのか、自集団はどれだけ結束できるのか、といった問題の集合の結果として、戦争という行為が選択されるのかどうかが決まる。昨今は、その選択をする指導者はいなかったのだが、今回は？

ＡＩをどのように使いたいか

これからの世界がどうなるのか、かなり不明瞭になってきた。第二次世界大戦後の世界秩序は、冷戦の終結で一つの終わりを遂げ、その後、民主主義と自由主義が世界全体の流れになるのかと見えたときがあった。「アラブの春」などと呼ばれた動きもあったが今は昔。

その後、世界はそんなに単純に一方向には変わらないことがわかった。そして、新型コロナウイルスのパンデミックがあり、ロシアのウクライナ侵攻があり、米中対立が進んでいる。

社会の動きを何か科学的に分析できないものだろうか？　人間が集まって作る社会の動

向は、あまりにも複雑であり、到底、自然科学のような手法では解明できないものなのだろうか？

世界を見ると、社会の動向にかかわる要素は実にさまざまなものがあり、要素間の関係は複雑である。しかも、偶然起こった一つの出来事や、ある一人の政治家の気質が、全体に対して大きな影響を及ぼすこともある。これはカオスだろう。しかし、カオスに立ち向かうには、カオス理論というものもあるのだから、なんとか解析できないものか？

人工知能（ＡＩ）など情報解析に関する技術が、最近飛躍的に進んでいる。以前は考えられないほどの大量のデータを扱うこともできるようになったし、深層学習という方法で、機械にデータの読み方を習わせることもできるようになった。では、人間社会の運営の歴史のような複雑な問題にも、これらを駆使して新たな研究の展開が期待できるのではないか？

なくてもよいような技術を開発したり、人を依存症にさせ、時間を無駄にさせるだけのゲームを開発したりするのではなく、何か、本当に昔はできなかった問題の解明に立ち向かってほしい。

最近、おもしろいと思った科学関連のニュースに、メソポタミアの粘土板に記された楔《くさび》形《がた》文字に関するものがある。葦《あし》の茎の断面を利用して、軟らかい粘土板に記号を刻み、それを焼いて固めて保存したという、あの楔形文字である。

紀元前三〇〇〇年もの昔にシュメール人が発明した文字だ。この楔形文字は、およそ一六五年前に一応は解読された。しかし、あまたにある粘土板のほとんどは今でも読まれてはおらず、古代の精神世界の解明にはほど遠い。

それらの多くは、取引の詳細や裁判のような記録を含む、いわゆる行政文書である。しかし、しばらくすると個人の感情を描いた詩や物語も現れるようになり、文字文化というものが、必要にせまられた記録の世界から、個人の心的表象の表現の世界へと拡大したことが見て取れる。

さて、それらの読み解きであるが、それには長らく、一握りの専門家たちの努力を待つしか発展の可能性はなかった。今現在、この楔形文字を流暢《りゅうちょう》に読みこなせる学者は、世界に数人しかいないらしい。

ところが、である。最近は、それらのデータをＡＩに読み込ませ、解析させることで、何が書かれているのかの解明が飛躍的に進んでいるとのことだ。

実はこれは大変な作業なのだ。紀元前三〇〇〇年から、おびただしい量の粘土板が製作され、実に多くの情報が記録された。粘土板に記された文字は消えないので、大量に保存されている。しかし、時代とともに粘土板は壊れ、戦争などで故意に破壊され、破片がちりぢりになった。

その結果、ドイツの博物館に収蔵されている粘土板の一部が、実は、米国の地方の博物館に収蔵されているものと一体であり、その続きは英国の博物館に収蔵されていた、などということは日常茶飯事に起こっている。

それらを全部つなぎ合わせて読めたら、古代文明に生きた人々が何を書き残したかがわかる。そして、古代の人々の生活の諸側面が明らかにされるだろう。それが、ＡＩによって急速に解明されている。

冒頭に述べたような、社会の運営のあり方の変遷などという複雑な問題に取り組むのは、まだ難しいかもしれない。しかし、私は、ＡＩをこのような仕事に使ってほしいと思う。少数の専門家に頼らずに新発見ができたら、それをまた、人間の専門家が分析すればよいのである。

現代における途上国

久しぶりにタンザニアに行くことになった。ダルエスサラーム大学で講演をするのだが、私は、この国との縁が深いので、今回の訪問はとても楽しみである。

思い返せば一九八〇年。私と夫は、日本の国際協力事業団（現国際協力機構＝ＪＩＣＡ）の派遣専門家として、タンザニアの奥地に赴いた。最大都市のダルエスサラームから内陸へ一〇〇〇キロ入ったタンガニーカ湖のほとりである。ここに、観光客が歩いて動物を見てまわる、野生チンパンジーのための国立公園を設計することが仕事であった。

現地に行くには、タンザニア航空の飛行機がもっとも便利なのだが、これがいつ本当に飛ぶのか、最後の最後までわからないというシロモノだった。何時間も前から空港でずっと座り込んでいるのだが、「欠航」という看板が出ればおしまい。また街に帰ってホテルを探すことになる。

飛行機の終点は、キゴマという町だ。が、任地はそこからさらに一六〇キロ南に行った場所なのである。そこまで行くには道路がなく、タンガニーカ湖を船で行くしかない。船外機付きの自前のボートがあるので、それで迎えに来てもらい、うまくいけば一日半ぐらいで現地に到着する。それは天候次第。

現地はと言えば、野生のチンパンジーが跋扈《ばっこ》している地域である。もともとその地で暮らしているトングェという人々がいるのだが、国立公園予定地ということで、彼らは移住させられた。国立公園の設置に協力する政府の役人として雇われている人たちだけが、そこに居住していた。と言っても、その人たちの家族もいるので、浜のあたりの村にはかなりの数の人々が住んでいた。

彼らは基本的に漁民、焼き畑農耕民である。現地は電気なし、ガスなし、水道なし。川の水をくみ、石油があればランプをともし、たき火でご飯をたく。そんな人たちといっしょに暮らした二年の間、こちらからも多くのことを教えたが、彼らに助けられ、彼らから学ぶことも実にたくさんあった。文化が違っても、ヒトというものはみな同じだと思わせる瞬間もあったし、文化が違えば、ヒトはこれほど違うものかと思わせられた瞬間もあった。

こうして、一九八〇年から八二年にかけての私たちのタンザニア滞在が、今の私たちの世界観の基礎を作ったのだと思っている。

その後、長らくタンザニアを訪れる機会はなかったのだが、二〇〇七年の暮れ、夫が東京大学で担当していたゼミの学生たちを連れて、再びタンザニアを訪れた。かつての任地にまで行くことはできなかったが、新しいタンザニアを見る機会を得た。タンザニアも確かに発展した。ダルエスサラームは、普通の大都市に様変わり。ショッピングモールもあれば、なんでもある。地方へ行く長距離バスの発着が正確なことには驚いた。

しかし、少し大都市を離れると、そこは昔のままの電気なし、ガスなし、水道なしの世界だった。女性たちが派手な模様の布をからだに巻いて、裸足で、薪の山を頭の上にのせて、それを右手で押さえて運んでいる。ところが、その彼女らがみな、左手では携帯電話で話しているのだ。ついつい話し過ぎると料金がかかるので、全部プリペイドだということだった。充電は太陽電池。現地には現地の知恵がある。

さて、私たちがタンザニアに赴いた一九八〇年は、先進国が途上国に援助する、という考えが基本であった。進んだ国が、まだ進んでいない国の発展を助けるという、どちらかと言えば、上から目線の援助であった。

しかし、今はどうか？　あれから世界は様変わりした。この様変わりには二通りある。環境破壊と気候変動が現実に悪い効果を及ぼしている。そして、新型コロナウイルスのパンデミックである。この二つの現象は、これまでの二〇世紀的発展のあり方の欠点と限界を世界に如実に見せつけた。新たに世界のシステムを作り直さねばならないのである。

それとは別に、昨今のインターネットをはじめとする情報通信技術の発展がある。これらの技術は、現実の物や土地などを離れて、人々のアイデアの交流を可能にした。これまでは不可能だったことのいくつかが可能になった。これらをふまえて、次はどんな世界を作るべきなのか？

その点に関して言えば、今はどの国も模索中の途上国なのである。

政治は「職業」なのか

二〇二三年一月、ニュージーランドのアーダン首相が辞任した。彼女は多くの成果を上げてきたが、もっと家庭を大切にできる生活に戻りたいということだ。

一方、日本では、首相が息子を秘書官にしていて、公私混同があったのではないかとの疑念が指摘された。そして、一般に政治家の世襲が問題視されている。そんなニュースを見ながら、昨今の日本の政治環境について考えた。

政治とは、国の行く先のかじ取りをし、人々の暮らしにかかわるさまざまな事柄を最適化しようとする営みだ。これは、果たして「職業」なのだろうか？　自分が生きていくための「なりわい」としての、会社員、工員、店主、シェフなどといった「職業」とは、少し違うように思う。なぜなら、政治は誰にとっても重要な仕事であり、誰もが参加できる、またすべきものだからだ。

政治家として成功するには、それなりの知識も手練《てれん》手管《てくだ》も必要だが、それは、熟練工が高い技能を身に付けていなければならず、学者がその道の知識と洞察力を持っていなければならないのとは違うと思うのだ。政治は人々の暮らしをどうやってよりよいものにするかを考え、国のあり方をどちらに持っていくかを決めていく作業である。実際に各場面を動かすための手練手管が眼目なのではない。実現したいビジョンや政策が何なのかが重要であり、その意味では、シロウトもクロウトもないはずだ。

そうはいっても、現代の状況は複雑なので、政治的な活動を本気でしようとすれば、それなりに時間と労力がかかる。だから、政治の専門家が必要になる、という話はわかるのだが、それは、アーダン氏の例のように、一生の話ではなくてもよいのではないか。

学校を卒業したあと、まずは何かの職業につく。そのうち、政治的な問題を考えるようになり、政治を動かす一翼を担ってみようかということになる。当選すればしばらくは政治家となるが、やがては引退することにもなろう。そして、同じように考えて政治の世界に参入したいと思う新人がつねに現れる。そのような環境であってこそ、投票も含めて、誰もが政治に参加するオープンな社会と言えるのではないか。

日本では、政治家の世襲が多いのも問題だが、選挙の投票率も低い。要するに、政治に対する一般の関心が低く、政治は、特殊な「職業」の専門家がやることと思われているということか。

また、日本では戦後長らく政権交代というものが起きなかった。首相は代わるものの、自由民主党政権が続くことが常態化している。最近では、二〇〇九年に民主党が政権交代を果たし、その時はかなりの興奮が巻き起こった。しかし、二〇一一年の東日本大震災と福島の原発事故、そして尖閣諸島をめぐる中国との確執などの混乱の果てに、政権は求心力を失い、また自民党に戻った。

一時は二大政党による交代の時代が訪れたかという期待が持たれたが、それもついえたようだ。今の日本では、あまりにも政治的な活気が感じられない。

選挙の投票率が低い、一般国民から見て政治家が特殊な世襲集団に見える、ということに加え、人々、とくに若い人々は政治的な意見の表明をせず、意見を戦わせることがめったにない。そんな話はしない方が安全だと思っている節がある。何か言うと、すぐにソーシャルメディアでたたかれて世の中に拡散するという、かつてはなかった脅威があることも、この傾向に拍車をかけているのだろう。

こんな中で、このごろ気になるのは、「お金をもらっているのだから言うとおりにしなくては」という発言があることだ。「税金で支えられているのだから政府の言うとおりに」という話だ。「食事をおごってもらったから、その人の言うとおりに」というのもそうだが、お金はすべて賄賂《わいろ》だとでも受け取られているのか。

税金は、政治を回していくための資金ではあるが、現政権を支えるためのものではない。政治は、さまざまな意見のオープンな議論によって進められるべきものなのだから。政治と現政権の混同のような発言が生じてくるのも、長らく政権交代がないからだろうか。

オープンな意見の交換と誰でも出入り自由な参加。現実にはナイーブ過ぎるかもしれないが、これが原点であるに違いない。

エビデンスに基づく政策決定とは何か

私は、二〇〇六年から一〇年間、二期に渡って国家公安委員会委員を務めた。これは、警察庁が適切に仕事をしているかどうかを監督する組織である。国家公安委員は、ときどき海外視察に行くのだが、二〇一六年、私はオーストラリアとニュージーランドの視察に行った。オーストラリアでは、移民受け入れとテロ対策について、ニュージーランドでは、クライストチャーチの地震災害の対応についてが、主たる視察のテーマであった。

そのニュージーランドでの視察のときである。「エビデンスに基づく政策決定」という言葉を初めて聞いた。もちろん、その道の専門家の間ではもっと以前から知られ、論じられていたに違いないが、自然科学者であり一般市民である私にとって、その時点では、その言葉は日本では馴染みがなかった。それを言えば、その時に随行してくださった警察関係の方々も、知っているとはとても言えない状況であったように思う。

ニュージーランド警察では、日本の警察からの視察に対して、一種のシンポジウムのようなものを開いてくれた。エビデンスに基づく政策決定は、その中で論じられた一コマである。犯罪を未然防止するにはどうしたら良いか。その方法としては、警察官が巡回する、不審者に質問するなどなど、従来、いろいろな方法が採られてきた。それらの方法のそれぞれが、地域の特性に応じてどれほど効果があったのかを分析した研究発表があった。

そのような分析の結果、「○○のような地域では、△△のようなやり方が有効である」という結論が導かれる。従来はそういうことを考えずに一律にやっていたことを、ここではこれ、あそこではあれ、というように条件に応じて方法を変えるのが有効である、ということだった。これが、まさに「エビデンスに基づく政策決定」であろう。

さて、あれから数年。日本でもこの言葉がしばしば聞かれるようになった。しかし、どうも、その真髄が本当に理解されているのかどうか、疑わしいと思うことがしばしばある。

まず、エビデンスとは何か？　しかし、それを言う前にデータである。データとは、現状で何がどうなっているかという事実を示すものだ。科学行政で言えば、例えば、日本の研究者一人当たりの研究費の投入量に対する論文生産の数や、結婚・妊娠・出産というライフイベントに応じて、女性研究者の論文生産数がどう変化するか、などといったデータである。科学の分野では当然のことだが、こういったデータがなければ分析も考察も始まらない。

しかし、データはデータであって、現状のある側面を示すものでしかない。一番重要なのは、私たちは何をしたいのか、という目標設定である。先の例で言えば、「日本の研究者たちに、もっともコスパの良い形で研究業績を挙げて欲しい」という目標を持つのか、「女性研究者が、ライフイベントにかかわらず、研究を継続して成果を挙げて欲しい」という目標を持つのか、ということだ。そうではなくて、「もっともコスパの良い形で研究業績を挙げることだけが良いことではない」という価値判断もあり得るし、「女性は家庭を守るべきで、それと仕事を両立させようとするべきではない」という価値判断もあり得る。どのような価値判断に基づいて目標を設定するか、それは、時代や国情、文化伝統などの社会認識全般に基づいて決められる。

そのような目標があってのち、その目標に基づいて、現状はどうかを調べられるようなデータを取る。得られたデータは何を示しているか。どうも、目標には沿っていないように見える、ということになると、次は、ではどうすれば改善できるのか、という政策の問題になる。

ところが、政策は一つではなく複数があり得る。では、どの政策がもっとも有効なのか？　ここで初めてエビデンスというものが登場するのだ。ある目標設定のもとで、ある政策を実行する。その時に、どれほど目標達成の効果があるか？　これを複数の政策間で比較し、これがもっとも効果が高いという判断をするのが、エビデンスに基づく政策決定なのである。

しかし、これを実際に行うのは簡単ではない。なぜなら、同じような条件下にある複数の地域で複数の政策を実行し、それらの効果を比較しなければならないからだ。そのような計画を立てるのも大変だが、実行するにあたっては、ある特定の地域の人々が不利になるかどうかなど、人権上の問題もあって複雑だ。

このようなことは、理系だけでも文系だけでもできない。その両方のセンスと知識が必要である。だから、小さい頃から理系と文系とに完全に分けてしまうような教育はよくない。必要なのは、両方のセンスを備えた専門家を育成することである。一人の人間がすべての知識を得ることはできないが、双方のセンスを持った人材を育成することはできるのではないか。異なる専門家たちが、そういうセンスを持ってチームを作り、協同で働けるようにすることが大事なのだと思う。

第四章　学術と大学の自由について

学術会議任命問題の根の深さ

この章は、学術、学問の研究という活動が、ヒトにとってどんな意味を持つものなのか、それは日本という文化の中ではどうとらえられているのか、という問題を扱っている。ことの発端は、二〇二〇年に、当時の菅内閣が、日本学術会議の会員候補者のうちの六名を任命せず、その説明をしなかった、という事件であった。この問題は今に至るも解決されていない。

しかし、任命問題に端を発して、日本学術会議は何をしているのか、学者たちが勝手放題をするのに税金を投入しているのではないか、などという議論が噴出した。その議論を、どんな人々がどういうつもりで展開したのかは知らないが、そこから、日本の社会が学術をどう見ているのかが浮き彫りにされたような気がした。

さらに日本では、こんな事件が起こるずっと前から、学術研究の基盤である大学という組織に大変革が求められている。国立大学は、大半を税金でまかなわれ、全国に高等教育を提供する機関であるはずなのだが、もっと自分で稼げ、日本の経済発展に貢献しろ、ということで、その方向に舵《かじ》を切るように促されている。

物事を探究したい、真実を見極めたいという欲求は、ヒトに備わった進化的性質である。どこの世界のどんな文化にも、そんな探究はある。しかし、その探究がどのような形になり、それを社会がどのように支えるのかは、文化によってかなり違っているようだ。

学術会議任命問題

日本学術会議が推薦した会員候補者一〇五名のうち六名が任命されなかった。私が一番気に入らないのは、理由の説明がないことである。「推薦された人を全員任命するというものではない」「任命するのは首相である」というのは、法律上そうであるかもしれない。しかし、これまでの学術会議法の解釈はそうではなかったと思うので、なぜ変えたのか説明が必要だ。そして、特定の六名を任命しなかった理由を説明すべきである。そうしないと、この国の政治の体制は、国民からも海外からも信用されなくなるだろうに。「総合的、俯瞰《ふかん》的な活動を確保するため」というのでは、なぜ特定の六名が任命されなかったのかはわからない。しかし、巷《ちまた》でうわさされているように、現政府の考え方と異なる意見を表明している人たちだということが任命拒否の理由なのであれば、これは、学問の自由というよりも先に、民主主義の根幹にかかわる問題だ。

その後、日本学術会議という組織そのものの問題点などが指摘され、議論が行われているが、それと、今回の任命拒否とは問題が別だ。イソップ物語のキツネが、手に入れられなかったブドウを「あれは酸っぱいからそもそも欲しくなかったんだ」と自分に言い聞かせるのと同じ理屈である。

それにしても、異なる意見を持つ人たちを排除しようとしているのだとすれば、なぜ、ダイバーシティーとインクルージョンという理念が掲げられるのか、どうしたらイノベーション創出ができるのか、理解されているのだろうか？

ダイバーシティーとインクルージョンとは、組織や会議体の中に多様な人々が含まれ、異なる意見を戦わせることで、なるべく多くの人々が納得する答えを見いだそうとすることだ。

国籍や性別、年齢、性的指向、特定の病気や障害のあるなしなど、世の中にはいろいろ異なる人々が暮らしている。その人たちは、それぞれ異なる状況に置かれているので、同じ事柄についても意見も感想も異なる。だから、なるべく多様な人々の意見を聞き、最大公約数を見つけるようにしようというのが、ダイバーシティーとインクルージョンの考えだ。

たとえ国籍や性別が同じだとしても、同じ意見を持つとは限らない。個人の考えていることはそれぞれ違う。意見の異なる人たちが集まれば、話は複雑になるし、結論に至るまでの労力は大きくなる。ダイバーシティーとインクルージョンには、それなりのコストがかかる。それでも、意見も聞かれず、顧みられることもない、という人々をなるべく少なくするためには、そのようなコストを負うべきだ、と考えるからダイバーシティーとインクルージョンが大切なのだ。意見が異なる人は排除しようというのは、正反対の考えである。

イノベーション創出も、みんなが同じことを考えているのでは生まれてこない。科学や技術の発展は、これまでの常識を疑い、問題に対して異なるアプローチで挑戦し、異なる仮説を考える人々によって成されるのである。つまり、懐疑主義と批判精神である。

学者とは、懐疑主義と批判精神が性格の核心にないとやっていけない職業だ。それらなしに、唯々諾々とこれまでの研究結果を受け入れ、それらを継承するだけで学者を続けていくこともできなくはないが、そういう学者は、学者仲間からは評価されない。

人権を大切にする法律も奴隷制の廃止も、女性参政権も、進化の理論も、量子力学も、それらを認めない既存の勢力と戦い、決して議論を諦めない人々によって築かれてきた。そういう面倒な議論をしないことには世の中の仕組みも科学技術も、発展しないのである。

議論を戦わせる、異なる意見がぶつかり合うという事態は本当に疲れる。自分の意見に固執して相手を言い負かすことが議論の目的ではない。本当に何が良いのかを吟味し、多くの意見を改訂していく技がいる。精神的にも体力的にもタフでないとやっていけない。

そのタフさが、どうも日本の文化には十分に備わっていないような気がする。小さな子どもの時から、そういう練習の場が少ないのだ。単なる合議主義ではなくて民主主義になるには、自由に議論を戦わせ、互いの立場を尊重するのが、一丁目一番地である。

日本において学問とは何か

日本学術会議の新規会員候補一〇五名のうち六名が任命されなかった。首相は、学術会議の会員任命権は首相にあるので、推薦された全員をそのまま任命する義務はないと言っている。それはその通りかもしれないが、それならば首相としては、そういう判断をした理由を丁寧に説明する義務がある。なぜこの六名を任命しなかったのか、逆に残りの九九名はなぜ任命したのか。ごくごく一般的な説明では済まない話だと私は思う。それが民主主義と法治国家の基本だからだ。この議論は、ずっと続けていくべきである。

それはさておき、今回のことがきっかけで、学術会議は何をやっているのか、なぜそこに税金を投じているのか、などの議論が巻き起こった。このことと、会員の任命拒否のこととは話が別なので、学術会議のあり方の議論と任命拒否の話とは峻別しておきたい。その上で、今回は、日本における学問の位置づけについて考えたい。

日本という国は、学問とは何だと思ってきたのだろうか？　このところ常に、科学研究からイノベーションを生み出せ、大学はそのための機関であるべきだ、という議論がある。それに対して、ノーベル賞受賞者などの人々が、イノベーションをすぐに生み出すなどということはできない、そのためには、一見、何の役にも立たない基礎科学の裾野《すその》が広くなければならないのだ、という議論をする。

私は、こういう議論の展開には賛同できないのだ。基礎科学の重要性は、最終的にイノベーションを生み出すための裾野に過ぎないのか？　そういう議論をしている学者たちが、心底そう考えているのではないと思うので、つまりは、そういう論法でしか相手を説得できないと考えているのだろう。だとしたら、日本は、基礎科学、つまり人文社会系も含めての学問という営みそのものには、そもそも価値を置いていないということになる。

日本文化において何が価値なのだろうか？　それは今すぐ役に立つ金銭的価値だということなのだろうか。日本は、昔からこういう考えだったのだろうか？

私は、ずいぶん前に、専修大学の法学部で自然科学とは何かを教えていたことがある。

その講義のために、明治時代の日本がどのようにして科学を取り入れたのかを調べていたとき、当時のお雇い外国人の一人で、ドイツから来て長年帝国大学で医学を教えたベルツ博士のことを知った。彼は日本を去るにあたって、「日本人は、科学の果実をつみとることしか考えていないが、私たちが教えたかったのは、科学的探究という樹木の育て方だったのだ」と嘆いたという資料を見たことがある。初めからそうだったのだろうか？　その辺りは、科学史の専門家に教えていただきたい。

学問とは何か？　それは、ある事柄について深く論理的に考えることであり、様々な知識を関連付け、統合し、ある事柄についての理解を深める作業である。その結果、これまでの理解を超えて、新しい理解がもたらされ、その理解に基づく新しい思想、世界観が生み出される。そのことが、新しい産業の生成や新しい生活のあり方に結びつくこともある。さらには、新しい製品の創出に結びつくこともある。そんなこんなを「イノベーション」と呼んでいるのだろう。

しかし、学問の本質はイノベーションの創出にあるのではない。私たちを取り巻く様々な事象をより良く理解し、より深い洞察を行い、新しい次元の考えに浮揚《ふよう》すること、それ自体が、人類の営みとして価値あることなのだ。そうであるに違いない。少なくとも、私はそう信じているし、ヨーロッパではそうだと思う。この「私たちを取り巻く様々な事象」というものには、人文社会系、自然科学系、数学系などなど、実に多くの種類のものがある。それらの中には、私自身にとっては興味のないものもある。それでも、誰かがどこかで、何らかの対象に対して、真剣に理解を深めようと取り組んでいる。そんな努力が行われることは、人類の財産なのだと思う。

総合研究大学院大学の第三代学長であった小平桂一先生は、かつて、ドイツに留学しておられたとき、近所の食料品屋の親父さんから、「何を研究しているの？」と問われ、天文学だと答えると、「よくわからないけど、ともかく良い研究して偉くなってね」と言われたそうだ。私にも似たような経験がある。英国のケンブリッジ大学でポスドクをしていた頃のことだ。そういう会話の後で、ハムを二、三枚おまけに付けてくれることもある。英国やヨーロッパには、貧乏な研究者の卵に対する、庶民のこんな温かいサポートの文化があるように思うのである。

日本学術会議が税金を使って何をしているのか、という問題を云々《うんぬん》する前に、まずは、日本は、学問という営みをどう考えているのか、それを明らかにしたい。学問とは、所詮、暇な偉い人たちが勝手にやっていることだと考えているのか、人類が行う素晴らしい活動の一つだと思っているのか？　最終的にはカネを生み出す余地があるからこそ、許容している活動なのか？

高等教育の目的とは何か

昨今、大学改革がさかんに言われ続けている。日本の大学の論文発表数などが減り、世界の大学の中での存在感が薄くなってきた。それに対する危機感と、日本経済が伸び悩む中、大学にもっと経済発展に寄与してほしいということが動機になっているらしい。

そんな中、二〇二一年三月に文部科学省が、大学に対して一〇兆円規模のファンドを創設するという案を出した。政府支出の四・五兆円を出発点とし、民間などから募って、なるべく早いうちに一〇兆円規模にするという。このファンドを運用して、大学経営をするのだとして手を挙げた大学に配るのだが、応募するためには、大学運営のあり方をドラスティックに変える必要がある。こうして日本の大学自体のあり方をも変えようとしている。日本の大学が現状のままでよいはずはない。だから、一〇兆円ファンドによって日本の大学を変え、多くの研究成果を出せるようにし、日本を発展させよう、というのはよいことだ。が、私がここで問題にしたいのは、別の点である。高等教育の目的と学ぶ個人にとっての意味についてである。

初等中等教育は、国民全体に等しく基礎的な教育を与えることが目的だ。誰もが、ある程度の知識とスキルを持ち、現代社会の中で自分の力を発揮しながら暮らしていけるようにするのである。読み書きや計算をはじめとする知識と能力がなければ、その後の人生を充実したものにすることは難しいからだ。

国民全員がきちんとした初等中等教育を受ければ、国全体がよくなるに違いない。だから国が教育政策を考えるのだが、しかし、学ぶことの本来の目的は、個人の幸せのためである。

その先の大学は、第一に、初等中等教育以上の高等教育を担うことがミッションだ。では、高等教育の目的は何か。これも、国全体の経済の活性化に役立つ人材をつくるというような、「国力のため」ではなく、どんな人間に育つのか、個人にとっての目的があるはずだ。

それは、現状の範囲内で自分の力を発揮して暮らしていける以上の力を持つことだろう。それは、ものごとを批判的に分析する、異なる文化や言語や価値観の存在を知った上で、それらの違いを超えて問題解決の方向を探る、新しい問題提起をし、新しいビジョンを想像する、などができる力を持つことではないか。

どんな分野であれ、学問とはこのような能力をもとにして行われているので、大学では学問を教えている。その中でどんな学問分野を選ぶのかは、個人の好みの問題だが、その道の学者になるのでなくても、学問の営みを通じて、前述のような力を身に付けることが高等教育の目的ではないか。

こういう能力を育んだ人は、社会の中で、ほかとは異なる役割を果たせるだろう。一八歳のときに、そんなことを学びたいと思わなかった人も、しばらく社会で働く中で、それを目指すようになるかもしれない。それも結構。高等教育は何も、高校を出てからすぐに続くだけのものではない。

大学の教育のやり方は、昨今はずいぶんと変わってきている。一番大きな変化は、ただ単に先生が教えたいことを教えるのではなく、学生たちがどう調べてどう考えるか、学生中心の学び方に重点を置き始めたことだろう。それを「アクティブ・ラーニング」と呼ぶ。そして、ある学問についての知識を深めるだけではなく、そうして学んだことをもとに、他の場面でも活躍できるような思考体系を身に付けることを目指す。これを「トランスファーラブル・スキル」と呼ぶ。

英語の名称がそのまま使われているのは、これらの考えが、ごくごく最近になって取り入れられるようになったことを示している。そして、こういう教育改革の話は地味なのか、あまり大きく取り上げられない。

一〇兆円ファンドの話は、研究開発を促進することであり、新しいタイプの大学でイノベーションを起こして、新たな経済発展に貢献する人材を育成するということだ。それは大事なことだし、これがもとになって、教育のあり方や個人の学び方全般にも変化が出てくれれば、喜ばしいことだ。

どうも日本での「人材育成」という言葉は、国全体のためにという論調が強く、個人がどんな人間に育つのか、という視点が薄いように思うのである。

博士号をめざす若手研究者を支援する

最近、日本政府は、大学院の博士後期課程に在学する院生に対して、経済的援助をする取り組みを導入し始めた。その一つが、「次世代研究者挑戦的研究プログラム」である。これは、既存の学問の枠組みを超えて、新たな研究を志向する博士後期課程の院生に対し、生活費相当額および多少の研究費を支給するものだ。

こんなことが行われるようになった背景には、日本の博士後期課程に進学する院生の数がどんどん減少しているという事実がある。大学の学部を卒業したあとに修士課程に進学する学生数は増える傾向にある。しかし、修士課程修了後に博士課程に進学する者、つまり、博士後期課程進学者の割合は、一九八一年度には一八・七％であったものがどんどん減少し、二〇一八年度には九・三％になってしまった。

では、それはなぜなのかといえば、過去における国立大学の運営費交付金の減少などの結果、大学における研究者のポストが全体として減少したこと、とくに若手研究者は三年や五年の有期契約によるポストしか見込めないことで、要するに、研究者になって生活していく道に将来が見えないからなのだ。そこで、博士後期課程の院生は、学生というよりも「次世代を担う若手研究者」なのだから生活費を保証してあげようということで、先の事業が始まった。

ところで、博士号をめざす若手研究者は「学生」ではなくて給与が出るというのは、ずいぶん以前から欧米では当たり前のことだった。ところが、日本では博士後期課程の院生も「学生」なので、入学金と授業料を払わなければならない。これでは、学生の取り合いになったとき、日本の大学は欧米の大学とはとても戦えないのである。

思い返せば三〇年ほど前、生化学の若手研究者の集まりに招かれ、彼らと議論したことがあった。その当時、博士課程の学生にはなんの特別な支援もなかった。彼らは窮状を訴えるのだが、周囲の人々はみな、「学部を卒業したら就職し、苦労して働くのが当然なのに、大学院に行こうというのは、個人の趣味の問題だろう。そこに支援する必要などまったくない」という意見だと嘆いていた。日本という国は、長らくそういう考えだったのだろう。つまり、学問は趣味の問題なのだ。

ここには、日本のいわゆる「タテ社会」という構造が関係しているのではないだろうか。学者というのはごく一部の人たちのことであって、普通の人たちには関係ない世界なのだ。学者側もそう思っているから、学者以外の世界とのつながりがない。企業は自分たちで優秀な人材を育てるのが一番と思っていたので、大学の博士号取得者を採用する気はない。学者側も、自分たちの後継者を育てることだけを考えていたので、他の世界で通用する人材を育てようという気はない。

こんなことが長らく続いてきたのだと思う。しかし、いつのころからか、科学の発展が新しい技術を生み、それが経済発展の原動力となるのだという認識が広まった。そこで、科学は単なる趣味の問題ではないということになった。「次世代研究者挑戦的研究プログラム」には、こんな状況を打破しようという複数のもくろみが見て取れる。

このプログラムの概要を説明するページにも書いてあるが、博士後期課程の院生に生活費を支給するのだが、そのためには、既存の分野をまたいで新しい研究に挑戦する院生でなければならない。大学も、それを支援しなければならない。大学の研究室の閉鎖性、そこで同じような研究をする研究者を育てているだけの状況が、国の発展を阻んでいるという認識から、研究室の壁を取り払って、新しいことを考え、社会の課題の解決に貢献できるような研究を促進しようとしている。

それは結構なことなのだが、私には根本的な疑問がある。日本には、純粋に学術を尊敬するという文化的土壌はあるのだろうか？　何事にせよ、知っている方が知らないよりもよい状態であるに違いない。しかし、知るためには、それなりに確かな研究が必要であり、そう簡単ではない。そのような研究にたずさわって「知る」ことに貢献する仕事は、それが何を知ることであれ、「知る」ための方法の発展も含め、人類全体にとって重要な貢献だ、という共通認識はあるのだろうか？

数値で測定できるものしか測定できない

昨今はどんなところでも「数値」が幅を利かせている。仕事に関して数値目標を示す、いろいろな機関をランク付けする、論文の被引用率によって論文の質を評価する、などなどだ。それらの数値を材料として、その機関や個人の評価がなされる。そして、それが客観的で透明性のあるやり方だとされている。

本当にそうだろうか？　国立大学は、六年ごとに中期目標・中期計画を立て、その達成度を測るための指標を設定せねばならない。各大学が独自に設定する指標と、文部科学省によって一律に設定される指標とがあり、それらの達成度によって、運営費交付金の額が増えたり減ったりする。

私はこんなことに一〇年ほど付き合ってきたが、数値目標の設定と達成のための努力とデータ収集は大変な苦労であり、徒労感を覚えることが少なくない。「評価疲れ」という言葉をよく聞くが、現場は本当にその通りなのである。これは私たちが真剣に取り組むべきことなのか。このような評価をすることによって、何が具体的に良くなるのか。疑問が尽きないのだ。

もちろん、いろいろな成果を数値化して表し、それを公表し、似たような組織同士や個人同士で比較することによって、そうしない時にはわからなかった実態が明らかになり、事態を改善する方策が見つかることもある。

しかし、数値化した指標が、知りたい事柄の実態を本当によく代表しているかどうかは、どうしたらわかるのだろう？　数値目標をもとにして、組織に対する配分金額や個人の給与に差をつけるという発想は、組織の目的は複雑であり、単純に測れないものがあることや、個人が働く動機は、金銭的なものだけに限らないことを忘れていないか。そもそも、こういうことに躍起になるのは、ある分野の人間が培ってきた経験値と価値観による、その人の判断というものを信用しないからなのではないか。

そんなことを個人的に考えている時に出合ったのが、ジェリー・Z・ミュラー著『測りすぎ』（松本裕訳、みすず書房、二〇一九年）である。著者は、米国の大学の歴史学の教授だ。数値目標などに関する専門家ではないのだが、学科長になって、自身がこのような数値目標達成の大波にのまれることになった。そこで私と同じように矛盾を感じ、いろいろとその歴史などを調べて本書を著した。

本書の中には、私が個人的に思っていたことのほとんどが明確に分析されている。測ろうとすると、数値で測定できるものしか測定できない。そうやって測定できたものが、測定したいものを正確に反映しているとは限らない。数値目標の達成度によって資源の配分などを決めると、低い数値目標を置いたり、事柄の分類を変更したりする欺瞞《ぎまん》を招く。数値目標の達成こそが目的となり、それが達成されたとしても、その組織や個人が本来やるべき業務はかえって悪化することもある。数値化して比較すると、各組織や個人の個性は消されて均質化を招く——などなどだ。

数値目標やコスト計算、能力に応じた給与、という言葉は、自由主義経済のにおいがぷんぷんするが、事実、その通りなのだ。自由市場で利益をめぐって互いに競争している会社以外の組織に対し、会社と同じような原理に基づいて競争させれば、中身がもっと良くなるはずだと考えた人がいた。それはロバート・ロウという英国自由党の議員だったようで、なんと、一八六二年の話である。

ロウは、政府から学校への財政援助は、「結果に応じた支払いを基本とする」とした。そして、公立学校の生徒に対して読み書き、算数の一斉テストを行い、その成績に応じて補助金に差異をつけた。すると、テストの前には、読み書き、算数以外の科目を全部取りやめてテスト勉強だけをさせる学校も出てきたということだ。まさに悲喜劇である。

それに対する批判は当初からあったものの、測定の文化は、利潤追求以外が目的の組織にまでどんどん拡大していった。ミュラーはこれを「測定執着」と呼んでいる。どんな批判があっても、目に見える数値というのは、客観的で真実らしく見えるらしい。日本は欧米に比べて周回遅れで測定執着にはまりこんでいるのではないか。このこと自体の検証が必要と思われる。

学ぶことと教えること

学ぶとは何なのだろうか？　それは基本的に、個人が知らないことを知り、わからないことをわかるようになることだろう。子どもは育っていく過程で、「これは何？」、「どうして？」という疑問をつねに発していく。どの子もそうするのだから、ヒトという生物には、知りたい、わかりたい、という根源的な欲求があるに違いない。子どもにとって世界は不思議に満ちており、それらをわかりたいのだ。

わが家の飼い犬を見ていると、普段と違ったことが起こると不審な顔をして、不思議がっていることは伝わるのだが、根源的な好奇心があるかというと、そういう感じはあまりしない。しかし、サル類には、そのような好奇心の片鱗はあると思う。サル類は、新しい道具を発明したり、危険なようだが未知な物にあえて近づいて、何であるかを確かめようとしたりする。つまり彼らは、おぼろげながらも因果関係を推測することができるので、物事の「原因」を知りたいという欲求は、少しはあるのではないかと思うのだ。

ヒトは、このような因果関係の推論が得意で、因果論的に説明ができると快感を感じる。だから、単に、「事象Aが起こると事象Bが起こる」という連合を学習するだけではなく、「事象Aは事象Bの本当の原因なのか、そうであるならそれはなぜなのか」、という疑問を持つ。そして、それが解決されると嬉しいのである。

ヒトという生物は、生まれながらにそのような根源的欲求を持っている。だから、本来、学びたい動物なのだ。そして、学びたいのは学ぶ側の個人であり、学ぶ理由は、個人の納得のためである。つまり、学ぶという行為は、本来、食べることなどと同様に個人的な欲求なのだ。

学ぶには、個人が試行錯誤を経て学ぶという過程が本来の道なのだろうが、知識のある他者から教わるという過程もあり得る。そこで、「教育」という行為が生まれる。しかし、動物として見ると、個人が学びたいと欲するのが根底にあり、他者が教えるという行為はあとから生じるものだ。「教える」行為が動物行動学的に成立するには、教える側が、学びたいと思っている他者の心を察する、学ぶ側も、教えたいと思っている他者の意図を察する、学ぶ側が教えてもらうことによって利益を得るのは当然だが、教える側も教えることによってなんらかの利益を得る、というようなさまざまなプロセスが必要だ。これはなかなか複雑なプロセスなので、一般に動物界を見渡すと、「教える」という行為はほとんど見られない。

ヒト以外の動物では、他者の心の状態を推察したり、意図を察したりする能力は、それほど高くない。だから、学びたい、教えたいという心の交流は生じ難い。では、知識の保有者がわざわざ時間と労力を割いて、知識の非保有者に教えることによって、教える側も得るものがあるという事態は起こり得るか？　それも稀《まれ》なことなので、動物界における「教える」行動は、非常に珍しいのだ。

それは、ヒトにおいても長らくそうだったのだろう。ヒトは、他者の心の状態を推察する能力があるので、学びたい、教えたいという心の交流はあり得る。しかし、学ぶのは個人の欲求によるものであり、それぞれ、生きていく過程で自分の知りたいことを学んでいく。それは、見様見《みようみ》まねの技術習得の場合もあれば、師匠について教えてもらうこともある。師匠も、手取り足取り教えることもあれば、何も積極的に教えないこともある。世界のさまざまな文化を見ると、知識の保有者が、知識の非保有者に積極的に教えることのない文化はたくさんあるのだ。ヒトにおいても、学ぶのは学ぶ側の努力、というのが原則なのである。そんなこんなでも人類は生き延びてきた。

それが、一八、一九世紀ごろの国民国家の成立以降のことなのだろうか、個人ではなく、「国家」という集団の発展のために、国民を集中的に「教育」するという目標が立てられるようになった。それ以降、学ぶのは個人の欲求による個人の行為ではなく、国家の発展のために国家が行う教育事業となってしまった。そうなった以降は長い間、本来の学ぶ側の立場よりも、教える側の立場からの教育方策が試されてきたのだろう。

日本では、二〇一七、一八年度の学習指導要領の改定で、知識を詰め込むのではなく、考えることを主体に教えよう、ものを教えるだけではなく、学習者がどのように主体的に学ぶかを中心に据えたアクティブ・ラーニングを導入しよう、ということになった。これは、学ぶという行動の意味を動物行動学的に考えれば、当然のことである。それがごく最近になって初めて、大きな目標として掲げられるようになったということ自体、実は不思議なことなのではないか。

ヒトが本来持っている能力を十分に伸ばすようにするには何をしたらよいのか。国家やら経済発展やらという、人類がごく最近になって「発明」したものに惑わされることなく、人間の本質をもとに個人の幸福を考えるのが重要だと思う。そうすると、めぐりめぐって、それが国家やら経済やらの発展につながることにもなるのだろう。

これからの大学

随分と先の見えない時代になったものだ。新型コロナウイルス感染症の感染拡大で、世界は様変わりした。それでも、しばらくしたら終息して「ポスト・コロナ」の時代になると言っていたところが、とても「ポスト」にはなりそうもない。今は、「ウィズ・コロナ」という言葉に取って替わられている。もちろん、大学も様変わりした。人が集まっていろいろなことをすることが困難になったのだから、大学も今まで通りにはいかない。

しかし、コロナ騒ぎのずっと以前から、国立大学は改革の嵐にさらされていた。ここでは、コロナがあったからと言うよりは、これまでの歴史的経緯を踏まえて、今後の大学について考えてみたい。

日本の国立大学は、二〇〇四年に法人化された。それまでは文部科学省のもとにあり、大学教員は国家公務員であったが、法人化以後は、他の独立行政法人と同じような仕組みで、その規則のもとに運営されるようになった。

法人化に対する反対の議論は当初からたくさんあったが、ともかく法人化は決行された。そして、法人化されれば、文科省の言いなりではなく、自由に大学を運営できるようになるのだから良いこともある、という期待もあったが、本当にそうはならなかったのではないか。

さらに、それ以後、大学の運営費交付金が毎年一%ずつ削られていったのは、予想外のことであった。法人化したときの国会の附帯決議には、以後も財源をきちんと確保し続けること、という文言があるのだが、これは反故にされたわけである。その削減が一〇年ほど続いた。一〇年で一四〇〇億円ほどの減少となる。最近では、それ以上の下げはないものの、増えてはいない。その結果はおもに人件費の削減となり、定年になった教授の後任を補充しないなどでポストの削減が起こり、とくに若手研究者の身分の不安定化を招いている。

運営費交付金は、最近では、総額がそれほど減少することはなくなったが、その代わり、初めから数百億円を吸い上げ、大学間で競争させられた結果に応じて、その数百億円を各大学に再配分することになっている。

大学は、（1）地域に貢献する大学、（2）特定分野で世界的に活躍する大学、（3）世界の一流大学と戦える大学、の三類型の中から一つを選ぶ。そして、いくつかの共通指標が設けられ、その指標の良し悪しによって、各類型の内部で順位がつき、それによってその数百億円の再配分額が決まるのである。これはゼロサムゲームなので、成績の良い大学への配分が多ければ、悪い大学への配分は減る。

どうしてこんな状況になったかという背景には、日本の国立大学が税金を投入されていながら、何をやっているのかよくわかない（透明性がない）、日本発のイノベーションが少ない、国際的な研究現場における日本の貢献が少ない、大学は日本経済に貢献していない、などといった批判がある。その批判は、おもに財界からあがっているようだが、それが財務省の態度となり、国立大学の意向を背負った文科省と財務省との戦いになっているのが実情だ。

日本の大学の始まりは、明治期である。東京大学の前身もそうだし、慶應義塾大学などの古い私立大学もそうだ。その当時、大学とはごく少数のエリートのためのものだった。戦後は新制大学へと移るが、一九五〇年代の一八歳男子の四年制大学進学率はおよそ一三から一四%で推移している。当時の女子はと言えば、何と二%台だ。

その後、一九六四年あたりから男子の大学進学率は二〇%台に上昇し、一九七一年には三〇%を超える。一九九五年には四〇%を超え、今はおよそ五五%だ。一方、女子の大学進学率が一〇%を超えたのは一九七三年である。一九九四年には二〇%を超え、現在は四五%超といったところだ。

ということは、戦前のエリート大学時代は、もちろん、大学とはごく少数の人のものであったのだが、戦後も一九九〇年代に入るまでの三〇年以上にわたって、男性でも大学に進学する人は人口の三分の一程度だったのである。つまり、大学をどうするか、大学の使命は何か、などについては、国民的な関心事ではなかったのだ。

大学は選ばれた優秀な人がいくところなので、先生たちは、自分が好きなことを教えていればいい、どうせ、優秀な学生たちなのだから、そこから何かを学んでくれるだろう、ということになる。教える方の教授陣は、学生に何を学んで欲しいか、それを実現するためのカリキュラムを体系的に作るには何をしなければならないか、などについて、あまり考えて来なかった。大学がどう運営されているかに対しても、社会の関心はなかった。

一方、卒業後の学生たちの就職先である企業その他は、大学卒業なのだから、もともと優秀に違いないと、はなから判断する。そして、大卒者の中で誰を採用するかについては、大学の偏差値などの一元的序列で測れば、もっとも効率的に人選ができるということで、偏差値による大学の序列を、採用のときの重要な指針としてきた。つまり、この卒業生が大学で本当に何を身につけたのかは不問に付してきたのである。このようなことが起こると、偏差値の高い大学の学生は、そこの卒業生たちとのつながりもあり、そのような人脈でさらに有利になる。

そこで、学ぶ側の学生たちは、自分が大学で何を身につけたいのかを真剣に考えることもなく、大学生活を楽しみ、先輩・後輩の人脈を作り、その看板を利用して就職していくことになる。親も、子どもを大学にいかせるということは、このような看板を身につけさせることだと考え、大学で本当に何を学んだのかは問わない。そうなると、偏差値の高い大学に入ることだけが目的となるので、大学受験が人生最大の試練となるのだ。

ここで私が言いたいのは、日本の大学をめぐる状況は、大学に入ろうとする学生（とその親）、大学で教えている大学人たち、大学卒業生を採用する企業その他という、立場の異なる三者の態度によって決められる均衡点である、ということだ。これはゲーム理論的な状況である。この三者のプレイヤーのどの一つも、自分が何かを変えようとするだけでは、根本的にはこの状況を変えられない。

例えば、ある大学が、ある信念に基づいてカリキュラムを組み、学生が何を身に付けたのかを厳密に採点することを始めたとしよう。しかし、在学生たちはそんなつもりで大学に入ったわけではないので、たくさんの学生が落第する。すると、そんな大学は嫌われて受験生が激減する。一方、その大学で優秀な成績を収めた卒業生は、就職時に、そんな厳しい採点をする大学の卒業生だという評価を得ることはなく、所詮は、その大学の偏差値でのみ評価される。これでは、大学が目指した目標は達成されない。

戦後の長い年月にわたって、大学人も、学生も、企業も、大学の中身について何も考えない、というのが日本の均衡点だったのだ。

企業について考えれば、バブルの崩壊までは、日本の企業は独自の研究所を持ち、先端研究を担い、独自の人材育成機能を果たしてきた。日本の科学技術に関する論文の多くの部分は、企業の研究者によるものだった。それが、一九九〇年代のバブルの崩壊とともに、多くの研究所が閉鎖され、企業発の研究論文数も激減した。現在、日本発の研究力の低下が嘆かれているが、この低下を最初に招いたのは、大学というよりも、企業の研究所の閉鎖にある。

それと同時に、一九九〇年代は、四年制大学進学率が男女ともにどんどん増えていく時代である。今や、人口の半分以上が大学に進学する。もはや、大学は一部のエリートだけのものではない。

この状況で、日本の大学が社会にとって持つ意味は、大きく変わったのだと私は思う。今や、大学生とは本当の意味で、放っておいても何かを掴《つか》んで出ていってくれるエリートとは言えない。そして、社会がこれだけ変化した中で、彼らは何を掴んで出ていくのだろう？　その掴んだことは、本当に良いことなのだろうか？　これまで一流と言われていた大学においても、これまでと同じような教育を続けて、新しい社会に対応できる人材が供給できるとは限らない。そこで、企業側は、大学が必要な人材育成をしていない、役に立つ人材が出てこないと言い、社会のいろいろなセクターが、いったい大学は何をしているのだ、大学の運営は透明性がない、大学は社会に本当に貢献していない、などと言い出したのである。

今のところ、大学改革の嵐が吹き荒れ、大学が悪者にされている。大学も悪いのはその通りである。しかし、先に述べたように、これは三者によるゲーム理論的構造なので、大学だけが悪いわけではない。大学の意義に対して何の関心も払わなかった社会全体が悪いのである。

つまりは、ゲームの構造が変わったということだ。これからは、大学がそのミッションを明確にし、それを実行するための運営を透明にし、ガバナンスを利かせ、採用する側も、大学の名前や評判ではなくて、学生一人一人がどんな能力を身につけた人物なのかをしっかり見て採用する。学生もそのつもりで、自分主体に学問に向き合おう、ということである。このような新しい均衡点に移行しようとしているのが、現在なのではないか。

このような状況の変化を受け、ここ数年で日本の国立大学はずいぶん変わった。採用側も変わりつつある。このようにゲームの構造が変わるときには、摩擦がとても大きい。いろいろなところで齟齬《そご》が起き、ゲームのエージェント間の軋轢《あつれき》も起こる。今はその真っ最中のようだ。先に述べた、運営費交付金の配分の仕方も含め、大学を変えるには何をするのが一番良いのかということについても、試行錯誤の途上であるように思う。今のようなゼロサムゲームで競わせるのが一番良い方法だとは、誰も考えていないだろう。

大学というものができたのは、中世のヨーロッパにおいてであった。著名な学者に教えを乞いたいと望む若者たちが、学者のもとに集まって自然発生的にできた組織である。みんなが一緒に生活して議論するので、住む場所であるカレッジができた。学生たちはヨーロッパ中から集まったが、共通語としてラテン語があった。だから、大学は最初から国際的な組織だった。

そして、こんな寄せ集めの団体が、ある一つの場所にいることになるのだが、当然ながら、その地元の政治的な権力の支配下には入りたくないので、独立を保ってきた。それが大学の自治である。振り返れば、本当に奇妙な組織である。一番古い大学は一三世紀に成立したので、大学の歴史はもう七〇〇年にもわたることになる。

こんな奇妙な組織がよくも七〇〇年も続いてきたと思うが、もちろん、この七〇〇年の間に大学のあり方も機能も変遷してきた。ルネッサンスから絶対王政の時代には、国王や貴族のパトロンがいくつもの大学やカレッジを作った。一九世紀以後の国民国家の形成と富国強兵の時代には、国のレベルを上げるために国家が大学を作った。日本の国立大学は、この最後のタイプである。

ところで、一九世紀の国民国家における大学の意味とは何か？　国のレベルを上げるといっても、どういう意味で上げようというのか？　それが問題である。欧米の大学は明らかに、自分でものを考えて判断できる優秀な市民を作る、ということを主眼に置いている。私はかつて、米国のイェール大学で教えていたことがある。イェールの教育理念は、ハーバードなどのアイビーリーグ大学にも共通だが、リベラルアーツの教育にある。大学便覧の最初には、「人類が築き上げてきた知の体系を見渡すことができ、そのうちのいくつかに精通することにより、広く深いものの考え方ができる人間となり、一市民として、これからの社会において直面する諸課題に対し、なにものにも惑わされることなく、自分自身の判断を下すことのできるような人間となること」と書かれている。

これは民主主義を支える根幹の哲学と関係している。民主主義の国家を担う市民はみな、状況を批判的に検討し、自分でものの判断ができなくてはならない、という哲学に基づいているのである。それが的確にできるのが大学卒業生であり、単にさまざまな職業を遂行していくにあたっての有能な人材であるだけではない、というのが主旨だ。

しかし、日本では、大学の内部でも外部でも、このような意味での大学の意義が強く主張されることは、あまり多くないように思う。政府の出す文書のほとんどに、大学はイノベーションの創発の場であり、日本経済を牽引していく発想のもとだ、ということは書かれているが、批判的な思考力と判断力を持った市民を作る場所だとは、一言《ひとこと》も書かれていない。つまり、「知」の価値は経済効果にこそある、という考えだ。私は、それを強く危惧する。

もしかすると、この傾向は世界的なもので、欧米でも、今はその力が強くなっているのかもしれない。英国では、とくにサッチャー政権のころからだんだんに大学などの運営の効率化が求められるようになり、一九九〇年代からは、「知」の追求が、それそのものの価値で語られることがなくなり、「知」がどれだけ経済価値を生むかで語られるようになったと嘆く声をよく聞く。日本も、その同じ流れの中にいるのだろうが、そもそも、日本に大学が作られた初めから、経済価値では語れない「知」の価値が本当に認められていたのだろうか?

コロナ禍によって、世界は様変わりした。具体的には、人が集まっていろいろなことをすることができなくなったので、働き方も、会合の持ち方も様変わりした。その中で大学も変わった。リアルとオンラインが併用されるようになり、オンラインのものが、リアルをどれほど補完できるのか、それが実験・実証されている最中である。

大学とは、非常に大きな広い意味で「知」の伝達と発展の場である。それが、大学が一三世紀に発生した当初の機能であったし、どんなに形態が変わっても、大学はその機能を果たしてきた。コロナ禍を経て、その伝達のあり方が変わる部分はあるだろう。新しいIT技術は、これまでに私たちが考えもしなかった可能性を開くだろう。しかし、大学とは「知」の伝達と発展の場であり、経済効果をもたらそうがそうでなかろうが、本質的に、これまでとは違ったことを考える、批判的思考力のある人間を育てる場所である。

そこからは、このコロナ禍がなぜ起こったのか、これまでの文明には、根本的にどんな問題点があったのかを考察し、新たな文明のあり方を提言していく人が現れるだろう。そう願って止まない。

学術会議任命問題再び

二〇二〇年一一月、菅政権のとき、日本学術会議の新規会員候補一〇五名のうち六名が任命されなかった。当時の首相は、学術会議の会員の任命権は首相にあるので、推薦された全員をそのまま任命する義務はないと言った。そして、ここが重要なのだが、なぜこの六名を任命しなかったのかについて、いっさい説明しなかった。説明は今に至るまでまったくなく、この状態は今も続いている。

これは実に由々しき事態だと私は思う。六名が任命されなかったということは、当初は一種の驚きをもって報道されたが、その後、この問題に関するマスコミの報道はほぼ皆無である。当時、日本学術会議とはなんだ、何をやっているのか、ただでお金をもらっている学者たちの集まりではないかなど、ネット上でとんでもない意見が飛び交った。それがどんな人々によって、どのような動機で書き込みがされたのかは知らないが、認識の低さもはなはだしい。日本学術会議とは、日本学術会議法で定められたところの役割を担った団体なのである。もう何十年も前に定められた日本学術会議という組織のあり方が、この現代においてどうなのかという問題は取り上げる価値がある。しかし、そのことと、二年前に首相が説明もなしに六名を任命しなかったという問題とはまったく別である。

私は、任命問題は、日本での学術のあり方と学術の独立性に関する非常に重要な問題だと考えるので、ここで再び取り上げたい。これはこのまま放置したり、忘れたりしてはならないことだ。現政権は、あれは過去の菅政権で起こったことであり、もう終わったことだと考えているようだが、そんなことはない。これは、学問と政権との関係をめぐる重要な問題であり、簡単にはすませられないのだ。ここには二つの問題がある。一つは、日本社会における学術のあり方であり、もう一つは、あの六名が任命されなかったという現下の問題をどう解決するかだ。

まずは、日本社会における学術のあり方である。日本学術会議は、学術の意義を社会に示すとともに、この組織が社会に対してどのように貢献しているのかをアピールしている。

しかし、そもそも日本社会が、学術の価値と意味とを十分に理解して共有していないのであれば、日本学術会議にゼロからの出発を期待するのは無理というものだ。そこは大丈夫なのだろうか？　私は、以前は大丈夫だと思っていたのだが、今はそれほどの確信はない。イノベーションと経済的価値を生み出す源泉という以外に、現代の日本社会は、学術の価値を認めているのだろうか？　近視眼的な価値を生み出すからではなく、人間本来の好奇心に基づく探求の活動は人間性を高める活動なのだという理解は共有されているのだろうか？

学術は、それが人文社会系であれ自然科学系であれ、もとは人間の好奇心に基づく活動である。これはなぜだ、どうしてこうなっているのだろう、という興味である。まずは、この好奇心に基づく探求活動というものに価値を置かねばならない。それは人間の本性に根ざしているからだ。それはよいとして、好奇心に基づく探求が、そのままにどこまでも勝手に飛び交ってしまうことがないよう、学問の探求には方法論がある。自然科学で言えば、観察に基づく仮説の形成、その仮説の検証、その結果に基づくさらなる仮説の改訂という手続きである。

人文社会科学は、このような厳密な観察と実験による検証という手続きに従っているわけではないが、先行研究を批判的に見て新たな視点で論を展開していく。学術の手続きでつねに大事なのは、議論することなのだ。なにものも、そのままで信じることはしない。なぜそのように言われるのかをとことん吟味するために議論する。これが学術の根源だろう。私は、今の社会は、このような「何に対しても議論する」という態度を忌避しているのではないかと危惧している。政治家たちの間にも、学術会議はなんだかごちゃごちゃと必ずや反対意見を言う「変な」人たちだという感覚があるらしい。とんでもないことだ。学術から議論を取り去ってしまったら、あとには何も残らない。発展もない。政治家たちが欲しがるイノベーションもない。

いつのころからか、若い人たちが議論をしなくなった。もう何十年か前になるが、家に若い院生たちを招いてパーティーをしたとき、それ以前のようにさまざまな議論をする風景がなくなり、驚いたことがある。もしかしたらそれは、本当に小さな子どものころから、「絶対に喧嘩をしてはいけません」と教えられてきた結果なのだろうか？　近くの保育園の園児と先生たちとの会話を聞いていると、そのようである。でも、意見が異なれば論争になるし、論が立たない子どもたちならば喧嘩にもなるだろう。それを一切禁じてしまえば、何が残るのだろうか？　周囲の雰囲気を察知し、言いたいことも言わず、波風を立てないように当たり障りのないことだけを楽しそうに話す子どもになるのだろうか？
さて、何の説明もないまま六名が任命されていないという現下の問題をどうするか？
これは私も即効的な解決を思いつくことができない、困った問題である。

第五章　私のステイホーム・ノート

パンデミックをどう見ていたか

この数年間、新型コロナウイルス感染症の拡大のため、多くの活動が制限された。それまでは普通にできていたことができなくなり、みんなで集まってわいわい騒ぐことが減った。今では、感染症の分類が5類に変更されたことにより、人の活動はもとに戻りつつある。しかし、コロナのパンデミックで、いやおうなしに考え直すことになったことも多い。新たに気付いたことも多い。そんな、あれやこれやについての、私の感想である。

しかし、コロナのパンデミックがなぜ生じたのか、その原因は地球環境問題にあるのであり、私たちは、この文明のあり方そのものを考え直さざるを得ないのである。

コロナショックと都会生活

二〇二〇年 春

新型コロナウイルスの感染拡大が止まらない。中国の武漢で始まったこの感染は、韓国に、ヨーロッパに、米国にと飛び火した。

今のところ日本はさほど悪くはない。何人が実際に感染しているのかを正確に把握するのは難しいが、ウイルス性肺炎による死者数は、はっきりとした数字である。四月一日現在、その数を人口で割った数値を見ると日本は二二〇万人に一人ぐらいだ。イタリアやスペイン、米国に比べるとずっと少ない。日本はくいとめにかなり成功している。

オリンピック・パラリンピックも延期、この夏ごろまでに予定されていたほとんどすべての行事や催事が延期か中止だ。私が勤務していた大学の学位記授与式も入学式も中止となった。新たな節目を迎える学生諸君にとっては本当に残念なことである。

というわけで、この時期、どうしても、コロナウイルス関連の話題を避けては通れない。自然人類学者としては、何を言おうか？

一つには、都市に集まって住むことの「異様さ」だろう。人類は、類人猿の祖先から分岐して進化して以来、ずっと、採集狩猟生活をしてきた。およそ三〇万年前に、現在の私たちの種であるホモ・サピエンスが出現してからの歴史においても、その三〇分の二九を採集狩猟民として暮らしてきた。

採集狩猟生活は、木の実を求め獲物を追っての放浪生活であり、食料を蓄えられず、大きな集団では暮らせない。人々は、その時々の食料事情に応じて、五人から五〇人ぐらいの集団を作って離合集散していた。

およそ一万年前に、中東などで農耕と牧畜が始まった。そして食料の蓄積が可能になり、人々の定住を促した。やがて文明が発生した。数千年前から始まる、エジプト、メソポタミア、インド、中国などの古代文明である。

つまり、人間が同じ場所に多数集まって、恒常的にそこで暮らすという生活は、人類進化史の中では、ごく最近のことなのだ。

国連の統計によると、都市に住む人々と農山漁村に住む人々を比べた場合、都市に住む人口は、一九五〇年代には三〇％に満たなかったのに対し、現在は五五％を超えたという。この先もますますこの傾向は続き、二〇五〇年ごろには、世界人口の六八％までもが都市に住むことになるだろうという予測である。都市生活は魅力的で人々を引きつける。

私自身、東京という巨大都市に住んでおり、その魅力はよくわかる。大勢の人々が集まると、お店がたくさんでき、映画、劇場、コンサート、展覧会、講演会などがたくさん開かれる。

農山漁村は、いわば、もくもくと生産活動が行われる場所だ。一方、都市では、ありとあらゆるアイデアが披露され、新しいアイデアを売り込もうとする人々と、アイデアを買おうと探している人々とが出会う。これがとてもエキサイティングなのだ。都市の魅力とは、そういうものだろう。

ただし、多くの人間が一カ所に集まると、病原体による感染のリスクが一気に高まる。どんなに強毒な病原体が発生しようとも、都市に人々が集中していなければ、その感染拡大はさほどでもない。一九一八年に始まるインフルエンザのパンデミック、いわゆる「スペイン風邪」の流行は、三月ごろに米国で始まり、米軍のヨーロッパ進軍とともに五月、六月にヨーロッパに拡散し始めた。そして、日本で流行が始まるのは同年一一月になってからである。

それに対して、今回のウイルスは拡散が早い。年末の武漢で始まり、二月、三月の間にほぼ全世界に蔓延《まんえん》した。それは、現代社会が格段に都市化し、交通手段の発達によって、人々の移動がこれまでにないほど容易で活発になったからだ。

現代の私たちは、生物としての進化史上、かつてなかった暮らし方をしている。コロナウイルスがきても、やはり都会生活は魅力的なのか、それとも、これを機に都市化傾向が頭打ちになるのか？　私は前者なのではないかと疑っている。

都市文明が始まって以来、採集狩猟生活ではあまり必要とされなかった人間の性質が注目されるようになった。その一つが、リーダーシップだと思う。一カ所に定住した多くの人々に対し、危機に際してリーダーシップを発揮する必要性が生じたのだ。さて、今回のウイルス危機では、各国首脳はどれほどリーダーシップを発揮できただろうか？

新型コロナウイルスにどう立ち向かうか

二〇二〇年 春

新型コロナウイルスの感染拡大の収拾がつかない。事態が深刻に思われるようになった二〇二〇年二月初めから、この原稿を書いている二〇二〇年三月末の時点までも、「あと二週間ほどが山」といった観測があるたび、その二週間が終わっても事態は改善しないということが繰り返されてきた。先が見えない状態での自粛続きで、みな、気分が落ち込んでいることだろう。

このような突発性のウイルスによる被害は、これまでの人類史の中でも何度も繰り返されてきた。記憶に新しいのは、二〇〇二年のＳＡＲＳ（重症急性呼吸器症候群）の流行である。これは、二〇〇二年一一月の中国広東省での初めての例から始まり、二〇〇三年三月には、WHOがグローバルアラート（国際的注意喚起）を出すに至った。

インド以東のアジア地域およびカナダの、三二の国・地域のおよそ八〇〇〇人に感染が広がったとされる。しかし、二〇〇三年七月には終息が宣言され、その後は、単発的な発生はあったものの消えたと言ってよいだろう。

このSARSも、今回と同じコロナウイルスだった。コロナウイルスは、一本鎖のRNAを持つウイルスで、このタイプのウイルスは、二本鎖のDNAを持つタイプと比べて変異しやすい。つまり、遺伝子の配列がどんどん変わって新しいものに変化していく確率が高いのだ。そうなると、特定の遺伝子にターゲットを絞ってのワクチンが作りにくくなるので、対応はやっかいになるだろう。

ウイルスは、本物の生物とは違って、自分自身では自分の複製ができない。自分を複製するための最低限の遺伝情報は持っているが、複製を実行に移す装置を何も持っていないのだ。本物の生物の細胞は、遺伝情報に加えて、その遺伝情報を複製するためのさまざまな仕組み、つまり、作業を実行するための工場のようなものも自分の中に備えている。

ウイルスにはそれがないので、自分を複製するためには、本物の生物の細胞を利用しなければならない。それが「感染」である。ウイルスに感染された細胞は、ウイルスに機能を乗っ取られてしまい、自分自身の遺伝情報を複製するための工場を、ウイルスを複製するために使われてしまう。そうすると無理がかかり、本来の機能を果たせなくなった細胞は死ぬ。そのときに細胞を破って、中で複製された大量のウイルスが外に放出されるのだ。

ウイルスがどのように蔓延していくかには、いろいろなパラメータが関与している。一つは毒性の強さだ。エボラのように毒性の高いウイルスは、患者が劇症を起こして死亡する確率が高い。これは大変なことだが、感染者が歩き回る可能性が低いので、ウイルスがまき散らされる可能性も低い。今回の新型コロナは、毒性はそれほど強くないようだ。毒性があまりに強いと、ウイルスが次の宿主を見つける前に、現在の宿主が死んでしまうことになり、感染が大きく広がるということは少ない。今回は、毒性があまり強くないので、かえって感染が広がる可能性が高まる。

そして、次のパラメータが、感染力の強さである。前回のSARSは、実際に発症している人だけが周囲を感染させたようだ。しかし、一人の感染者が他の人々にウイルスを拡散させる度合いは非常に多かったらしい。今回のウイルスは、症状の出ていない人でも感染させる力があるようだ。感染力はかなり強いと見てよいだろう。

そして、感染経路である。前回のSARSも今回の新型コロナも、飛沫《ひまつ》感染がもっとも重要だ。これなら、人との距離を保っていればかなり防げる。

さて、現在の状況で私たちは何をしたらよいのか？　日本に感染者が何人いるのかは、よくわからない。しかし、新型コロナウイルスによる肺炎で亡くなった人数はわかる。この数を日本の総人口で割って計算すると、死者の数は二二〇万人に一人ほどになる（二〇二〇年三月末時点）。イタリアやスペイン、米国に比べてずっとましだ。今のところ、日本の状況はそれほど悪くはないと言えるのではないか。

症状の出ない潜在的な感染者でも他人にうつす可能性があるとなると、健康そうであっても、なるべく人ごみには行かない、人との接触を避けるといったことが大事だ。また、コロナウイルスは、脂質のエンベロープで囲まれているので、石鹸による手洗いやアルコール消毒で、エンベロープを壊すことができる。手洗いは絶対に推奨。

都会の魅力というのは、大勢の人々が集まってさまざまなアイデアの競合が行われるところにある。人々が集まって会話しながら食事をするのが楽しいのは、人間の本性だ。ウイルス禍を避けようとすると、こんなことがみんな自粛になる。そのダメージは心理的にも経済的にも大きい。

大事なのは、科学的な分析をし、それに基づいて明晰なメッセージを公表することだ。

自粛を求めるとしても、政策として何かを打ち出すとしても、決断の根拠が必要である。どうすれば感染拡大の防止ができるのか、方策はいくつかあるだろう。それらの防止策に伴う費用対効果の分析はどうなのか、そして、それらの分析を相互に比較し、ある一つの政策を選択した判断根拠は何なのか、これらがすべて、論理的に示されねばならない。そうして、冷静にメッセージを発すれば、国民は理解すると私は思う。それらの分析をより正確に行うには、厚生労働省だけでなく、人文・社会学者も含めてオールジャパンで取り組むべきだろう。日本はえてして、そういう横の連携が下手で、素早くないと思うのである。

競争信仰を考え直すとき

二〇二〇年 春

新型コロナウイルスの感染拡大で、世界はこれまでにない変化を強いられた。都市というのは、大勢の人々が集まって、さまざまな活動を行う場所である。ところが、飛沫《ひまつ》感染するウイルスに対抗するために人々が集まれないとなると、移動は制限され、多くの活動ができなくなった。

この状況の中で、都市や職場のあり方を考え直したり、テレビ会議など遠隔情報技術の利点と限界の双方について実感したりと、みなそれぞれ思うところ多いのではないだろうか。

都市の閉鎖や自粛要請の結果、多くの場所が静かになり、大気汚染なども減少した。ひどいスモッグだったインドや中国の都市で、建物がきれいに見えるようになった写真などを見ると、なんとなくほっとする。

今回のコロナ禍の経験は、世界中の人々が現代の文明を考え直すよい機会になったと思う。ウイルス感染拡大もいずれ終わるだろうが、また活動が再開されるようになれば、もとの木阿弥《もくあみ》で、以前と同じような生活になるのだろうか？　私たちはそうなることを望んでいるのだろうか？

経済活動を活性化させるには、もと通りの再開が望まれるのかもしれない。それも選択肢の一つだろう。しかし、選択肢はそれだけではないはずだ。

私が論じたいことは二つある。一つは、コロナ禍を機に、人間活動が地球環境に与えている負荷について、もっと深く考えたいということだ。活動停止で大気がきれいになった町の状況は、一九六〇年代、七〇年代からその後の日本で起こったことを思い起こさせる。

では、今の先進国で普及しているさまざまなネット技術はどうか？　例えば、スマートフォンなどで個人が好きなときに好きなだけ動画を見られる技術。今、世界中で六億人以上がそんなサービスを利用しているという。このような技術がどれほどの環境負荷をもたらしているのかを測定する研究が行われている。

そんな研究の一つによると、オンラインビデオの視聴によって排出される二酸化炭素は、全世界の排出量の一％に当たるという。航空機の運用による排出が全体の二・五％なので、これは相当な量だ。テレビ番組を配信するにはそれなりのエネルギーが必要だが、個人宛てのビデオ送信は、それぞれの人々に個別に送り出すので、さらにエネルギーが必要となる。

国連による持続可能な開発目標（ＳＤＧｓ）は、日本でも広く紹介され、いまや多くの人々が、そのバッジをつけている。しかし、本当に環境負荷を減らすために、どれほどの努力をせねばならないか、それを考えるためのデータはどこにあるのか？　ネットを含む新たなＩＴ社会は、どれほど環境負荷を少なくできるのか？　その探求の態度において、欧州に比べて日本の状況は、かなりお寒いものだと私は感じる。

私が論じたいもう一つの点は、そもそも「競争に基づく発展」という価値観についてである。

私たちは、近代の数世紀にわたって、他人に打ち勝つ、他社に打ち勝つ、他国に打ち勝つ、という目標のもと、より多くの富を生み出そうとしてきた。競争は発展の源泉であり、競争に勝つためにはイノベーションを創成せねばならない。所得は上がり、会社の利潤は上がり、ＧＤＰ（国内総生産）は上がり続けねばならない。この競争信仰に基づく人間活動が、多大な環境負荷を生み出してきたのは事実。

それだけではない。この競争信仰は、競争社会に住む人々の多くに、精神的ストレスと不幸と矛盾をもたらしてきた。

しかし、こうして永遠に右肩上がりを実行することは不可能なのだ。一つしかない地球の上で、永遠に富の増加を求めることは不可能である。そして、経済的競争こそが発展の原動力という考えも、たかだかここ数世紀に蔓延《まんえん》した考えに過ぎない。一生懸命働いて、よりよい生活をめざすという理想も、この数世紀のものでしかない。

人工知能がさらに発展し、人間の仕事の多くの部分が機械で代替できるようになる社会が提言されている。そんな社会は、これまでの数世紀の社会状況とはまったく違うはずだ。そうであれば、そこでは、これまでの競争信仰に代わるまったく新たな価値観が出現することを期待したい。

生物学の行方

二〇二一年夏

新型コロナウイルスの発生からもう一年以上が過ぎた。が、感染状況は少しもよくならない。日本の死者数は、他の国々に比べて少ないとはいうものの、これがかなりやっかいな感染症であることに疑いはないだろう。

この一年間の日本社会の動きを見て、日本人の科学リテラシーはこれで大丈夫なのかと、不安に思うことは多い。科学的情報をどのように評価するのか、そもそも科学とはどのような営みなのか。人間は、とくに自分の健康や生死にかかわる問題となるとついつい感情的になる。そして、状況がよくなって欲しいという願望を持つ。それが、根拠のない期待にもなり得る。そんな感情的反応を越えて、科学的情報をどう理解し、どのように自分の行動の指針とするのか。それは黙っていて身に付くものではないだろう。きちんとした教育が必要である。

コロナに関連して述べたいことはたくさんあるのだが、しかし、今回は少し別のことを取り上げてみたい。生物学という学問の今後の動向についてである。

生物学は、生き物についての科学である。この地球上には、現在、何百万、何千万という種が存在しており、過去には多くの生物が絶滅した。そんな化石の生物も含めて、この世には数え切れないほど多くの生物がいる。その多様性は、どんな人間の文化でも認識されており、どんな文化の人々も、生き物を分類し、名前を付け、それらの人間に対する効用などを記録してきた。中国や日本では、本草学と呼ばれる学問があり、西欧では、それは博物学であった。

それらの膨大な知識の積み重ねの上に現代の生物学がある。では、生物とは何か？　生物は無生物とは違う。岩や水や空気とは本質的に違うところがあり、その仕組みと成り立ちを知ろうとするのが生物学である。今や、生物学の探究は、細胞から分子へ、遺伝子とその働きへと、細かく、さらにミクロのレベルへと下がってきている。そして、現在私たちが持っているそのようなミクロの知識の量は膨大である。このような多様性にもかかわらずすべての生物が持っている共通性と、種が違えば、さらに同じ種であっても個体が違えば、それぞれの生物が持っている独自性についても、かなりのことがわかってきた。

「生きている」とはどういうことか、古来より人類は長らく、それを科学的には説明できなかった。しかし、自分たちの周囲に生息しているさまざまな生物たちを観察することで、多くの知識を得てきた。そして、生物を生み出す「設計図」とも言える遺伝子の構造が初めて解明されたのが、一九五三年。それ以後の、ミクロのレベルでの生物学の発展には、真に目を見張るものがある。

一方、このような生物学の知識の増加と比例して起こってきた現象がある。それは、地球環境の破壊と生物多様性の減少だ。現代の生物学が確立し、おもにミクロのレベルでの生物現象の解明がどんどん進んできたのが二〇世紀である。そして、その二〇世紀は、野放図とも言える文明の発達に伴って地球環境が破壊され、多くの生物が絶滅し、気候変動が加速された時代であった。それは今でも続いている。

それに伴って、世界の人々の自然や生物に対する接触の仕方が激変した。と、私は思うのである。私は一九五二年生まれだ。一九七四年、大学四年生のときに千葉県の山の中に生息する野生ニホンザルの生態の研究を始め、一九八〇年から二年半にわたって、東アフリカの野生チンパンジーの生態と行動の研究を行った。千葉の山の中で住んでいた小屋には電気はあった。しかし、アフリカでの生活は電気なし、ガスなし、水道なしだった。

今、こんなところで暮らしながら野生動物の研究をしようという学生はほとんどいない。その理由は二つあり、互いに密接に関連している。一つは、二〇世紀における文明の急激な発展と環境破壊の結果、私が子どものときから触れてきたような自然に、日常的に触れながら育っていく子どもの数が激減した。私は、自然の海岸や川で遊び、そこにいる生物たちに触れて感動しながら育ったが、今、そんな経験をしながら育つ子どもはほとんどいないに等しい。だから、私たちとは違う存在ではあるが、同じ生き物としての別の生き物の暮らしを見たことのある子どもが激減している。それは、世界中で起こっている。

もう一つは、こうして「自然」が、どこか遠くにある不思議な存在となり、そこに踏み入って自然を研究することが、「危険」なことになったことである。かつての私は、何の保険にも入らず、何か事故が起こったらどうなるのかもまったく気にせずに山に入っていったが、今ではそんなことは不可能である。リスク管理の面から見れば、学生、院生の野外調査は、ほとんど無理と言ってよいのが現状なのではないか？

こうして、野外で生きている本物の生物を見る機会はなくなり、そこから得られる生物に対する感動の体験もなくなる。ほとんどの人がそうなったあとの生物学は、いったいどうなるのだろうか？

自主規制をどのように終わらせるのか

二〇二二年　夏

新型コロナウイルス感染症のパンデミックは、いまだに収束の気配はうかがえず、この先の社会がどうなっていくのか、見えないのが現状であろう。

この感染症は、人々が話したり、咳《せき》やくしゃみをしたりするときに出される飛沫《ひまつ》の中に含まれたウイルスが長く空中に漂い、それが他者に吸い込まれることによって伝染する。それをエアロゾル感染と呼ぼうが、空気感染と呼ぼうが、ともかくも、人が集まる場所の換気が、感染予防にもっとも重要な鍵となるようだ。

しかし、これまでの世界の感染症対策は、コレラなどの病原菌がおもな対象で、水や食品の安全確保が課題だった。そのため、部屋の空気の循環は、酸素不足ではない新鮮な空気の供給が主眼であり、感染症対策として視点を置くことは少なかった。多くの人々が集まる場所の換気について、たいした施策もなしに公共空間がつくられてきたことを、いまさらながら認識した次第である。

さて、それで今回のコロナ対策であるが、中国は極端だとしても、欧米もかなりの部分を法的規制で対処してきた。人々の移動その他の行動を法律で規制する対策である。そうなると、人々の行動が強制的に制限されるので、当然ながら経済活動が阻害される。そのマイナスの効果と、感染拡大のリスクとをどう査定するのか。昨今では、欧米諸国のほとんどは、活動制限を解除した。

この二月から、英国ではなんの規制もなくなったし、欧州諸国を旅した人たちの話によると、公共交通機関でのマスク着用など、一部で推奨はされているものの、法的な規制は何もない。一方、我が国ではどうか？　日本では、このような緊急事態に対処する法的な措置はない。そこで、すべてが「お願い」ベースで進むことになった。日本人はそれに見事に順応し、法的にはなんの規制もないにもかかわらず、自粛という標語のもとにほとんどの人々が社会的な活動をやめ、多くの行事や祭りが開催されずに今に至っている。

自粛というのは、互いのそんたくと監視のもとで成り立つ行為である。一人一人の個人がどう考え、本当に何をしたいと思っているのかはさまざまだろう。感染防止が十分にできると思えば、パーティーをしてもよいのだ。しかし、誰もが、そのような自分の考えと態度を表明することはせずに、まずは周囲の人々がどう行動しているかを見る。

そうすると、自分は何もせずに周囲をうかがうのが全員のやることなので、見渡せば誰も何も積極的にはしていないのが見える。そこで、周囲はみな何もしない、それが大勢なのだということになって、誰もが自分のしたいことをしなくなる。これが日本での「コロナ対策」なのではないか。

このような自主規制は、法的規制ではなくて、同調圧力によって維持される。これが驚くほどよく働いているのが日本だが、これをどうやって終わらせるのかが問題だ。

欧米では、個人が自分の希望を表出するのが当然であると考えられている。そのままで野放図になっては困るので、それを抑えるために法律で規制する。人々は、自分のやりたいことは自覚しているのだが、法律で抑制されていた。そこで、法律さえ解除されれば、また自分の意思で勝手に行動することに戻るのである。

しかし、法律による規制ではなくて、周囲の状況を見て互いにそんたくしあう文化による自粛の場合は、どこでどのようにこれをやめるかの基準がないのだ。

みんなが集まってわいわいと騒ぐことには、経済的効果だけでなく、人間のコミュニケーションや社会関係の構築の上で、多大なメリットがある。しかし、そのようなメリットをまったく考慮せず、感染拡大のリスクだけを見るならば、この際、何もしないのが最良の選択になるだろう。

それを、みんなが他者の行動をうかがうことで自粛する、という構図で達成すると、どうやって終わらせることができるのか？　たとえそのうち終わらせることができたとしても、それには長い時間がかかることだろう。個人が自分の選択を表明することなく、周囲の状況を見て判断するという仕組みは、コロナ対策に限らず、意思決定のプロセスを迂遠《うえん》にし、変化に機敏に対処することを阻んでいると私は思うのである。

あとがき

私たちの現在の社会は、さまざまな困難と矛盾を抱えている。文明は発展し、いまや人工知能の水準もずいぶんと上がってきているが、誰もが幸せに暮らしている状態とはほど遠い。そのことについて、政治学者、経済学者、社会学者など、多くの人々がそれぞれの立場から考察し、論評している。私は、進化生物学、自然人類学という目で見たら、今の社会についてどんなことが言えるのか、それを考え、いくつかのトピックスについて書き並べてみた。

人類は、哺乳類の中の霊長類という分類群に属する。この分類群が出現したのは、今から六五〇〇万年ほど前のことだ。その霊長類の中では、私たちは尾のない類人猿に属し、一番近縁なチンパンジーたちの仲間と分岐したのが、およそ六〇〇万年前である。私たちはホモ・サピエンスという学名の動物だが、同じホモ属と呼べる人類が進化したのは、およそ二〇〇万年前。そして、私たち自身であるホモ・サピエンスが進化したのが、三〇万年から二〇万年前である。

この長い長い年月が、動物としての進化である。ところが、およそ一万年前に農業と牧畜が始まり、その前後から定住生活が始まった。そして、人々は自ら周囲の環境を改変するようになり、文明が興《おこ》った。それでも、長らく人類は自前の動力源を持っていなかったので、たとえば、ダ・ヴィンチがいくら戦車やヘリコプターのようなものを考案しても、それを動かすのは人力と家畜の力しかなかった。

ところが、今からおよそ二〇〇年前ごろに産業革命が起こり、人類は自前の動力源を手に入れたのだ。そのあとは、電気と原子力によるエネルギー利用によって、世界は様変わりした。それは、進化史から見れば、最後の一瞬のことに過ぎない。自らの力で、自らの環境をこれほど変えてしまった生物はいない。そんなことの「異常さ」を知りつつ、この力を利用して、新たな世界を作っていくよう、若い世代の人たちが考えてくれることを祈りたい。そうして、次世代の日本の若い人たちが、現在のような日本文化の負の側面のいくつかをも変えていってくれればと願う次第である。

青土社編集部の足立朋也氏には、本書の刊行に向けて大変にお世話になった。末尾になってしまったが、ここに著者としての感謝の意を述べておきたい。

二〇二三年一〇月

長谷川眞理子

本書は、著者が二〇二〇年二月から二〇二三年八月にわたり『毎日新聞』に連載したコラム「時代の風」と、左記のコラムをもとに、本文を加筆修正し、構成されています。

これからの大学『現代思想』二〇二〇年一〇月号
進化生物学の現在『現代思想』二〇二一年一〇月号
新型コロナウイルスにどう立ち向かうか？『学術の動向』二〇二〇年五月号
エビデンスに基づく政策決定とは何か『学術の動向』二〇二〇年九月号
日本において学問とは何か『学術の動向』二〇二一年一月号
学ぶことと教えること『学術の動向』二〇二一年五月号
生物学の行方『学術の動向』二〇二一年九月号
タテ社会日本と学術『学術の動向』二〇二二年一月号
日本文化の暗黙知『学術の動向』二〇二二年五月号
役に立つとはどういうことか『学術の動向』二〇二二年九月号
学術会議任命問題再び『学術の動向』二〇二三年一月号

長谷川眞理子（はせがわ・まりこ）
1952年東京都生まれ。人類学者。総合研究大学院大学名誉教授。東京大学理学部卒業。同大学院理学系研究科博士課程修了。理学博士。専門は自然人類学、行動生態学。イェール大学人類学部客員准教授、早稲田大学教授、総合研究大学院大学学長・教授などを歴任し、現在、日本芸術文化振興会理事長。野生チンパンジー、ダマジカ、野生ヒツジ、クジャクなどの研究を行ってきた。最近は、ヒトの進化、科学と社会の関係を研究課題に据えている。主な著書に『世界は美しくて不思議に満ちている』『モノ申す人類学』『ヒトの探究は科学のQ』（以上、青土社）、『進化的人間考』『ヒトの原点を考える』（以上、東京大学出版会）、『オスとメス＝進化の不思議』（ちくま文庫）、『私が進化生物学者になった理由』（岩波現代文庫）、『人、イヌと暮らす』（世界思想社）などがある。

自然人類学者《しぜんじんるいがくしゃ》の目《め》で見《み》ると

2023年11月15日　第1刷印刷
2023年11月25日　第1刷発行

著　者　長谷川眞理子《はせがわまりこ》

発行者　清水一人
発行所　青土社
〒101-0051　東京都千代田区神田神保町1-29　市瀬ビル
電話　03-3291-9831（編集部）　03-3294-7829（営業部）
振替　00190-7-192955

印　刷　双文社印刷
製　本　双文社印刷

装　幀　竹中尚史

ISBN978-4-7917-7603-0
Printed in Japan

青土社／既刊

長谷川眞理子　著

世界は美しくて不思議に満ちている

足りすぎているのに不足感を募らせよと迫りくる文明の行き着く果てとは？　「共感」とヒトの進化をめぐる評論・エッセイ集。

四六判／２４８頁　定価本体１８００円（税別）

長谷川眞理子　著

モノ申す人類学

二分法に惑わされない、人間社会にまっとうな智恵を。自然人類学の視点から現代社会を論じ、日常に新しい風を吹き込む、発見と提言に満ちた科学コラム集。

四六判／１９２頁　定価本体１６００円（税別）

長谷川眞理子 著

ヒトの探究は科学のQ

私たちが出逢う科学のQ（クエスチョン）に、幾多の文献を渉猟し、人類学から迫る。好奇心を刺激し、強靭にする１００のQ。

四六判／２４０頁　定価本体１６００円（税別）

ジョン・ブロックマン 編／長谷川眞理子 訳

知のトップランナー１４９人の美しいセオリー

あなたのお気に入りの、深遠で、エレガントで、美しいセオリーは何ですか？　科学の巨人たちが解き明かす世界についての秘密。

四六判／４９６頁　定価本体２８００円（税別）